P9-DYP-395

Fernando Arrabal

Arrabal celebrando la ceremonia de la confusión

Fernando Arrabal

Arrabal celebrando la ceremonia de la confusión

Ediciones Destino
Colección
Áncora y Delfín
Volumen 573

Ediciones Destino, S.A.
Consejo de Ciento, 425. Barcelona-9
Primera edición: Alfaguara, setiembre 1966
Primera edición en Ediciones Destino: mayo 1983
ISBN: 84-233-1252-6
Depósito legal: B.15032-1983
Impreso por Edigraf, S.A.
Tamarit, 130-132. Barcelona-15
Impreso en España - Printed in Spain

CAPÍTULO PRIMERO

LA GLORIETA

Sobre el monumento la giganta permanecía acostada e inmóvil. Su cuerpo abarcaba toda la superficie del pedestal. Los peregrinos se acercaban con ofrendas y los niños intentaban trepar para tocarle la falda. La giganta parecía sonreír. El monumento estaba situado en el centro de la glorieta, desnuda, sin árboles ni bancos.

Un grupo de peregrinos entonó una copla que comenzaba de esta manera:

> Quisiera ser tan alto
> como la luna,
> ¡ay, ay!
> como la luna,
> como la luna.

Desde donde estaba parecía que la giganta era de mármol y, sin embargo, momentos antes había creído ver sus zapatos de ante y su cabello que ondeaba al viento. La víspera, durante toda la tarde, estuve convencido de que se trataba tan sólo de una imagen proyectada. Cuando me movía, las posibilidades, las hipótesis se multiplicaban y cuando me concentraba se volvían infinitas. Pero en aquel instante estaba persuadido de que era de mármol como el zócalo.

Los peregrinos quisieron imponer silencio. Se oía «chisss» por todas partes. Un arrapiezo se acercó al pie del monumento y dijo:

–Perogrullo. Soneto.

Tras breve pausa recitó:

> Pero sí, pero no, pero vivía,
> quien le quita el dinero le robaba,
> si se sube en el peso se pesaba,
> a las doce las llama mediodía.

Se armó un alboroto indescriptible que me impidió oír el resto del soneto. Algunos de los peregrinos se pegaron entre sí. Otros sacaban fotos.

El primer día, al llegar, quizá víctima del cansancio del viaje, de la tensión nerviosa, «vi» cómo la giganta se levantaba y me hacía señas para que me aproximara. Dado su tamaño descomunal su sombra ocupó más de media glorieta. La gente sonreía feliz, y yo también sonreí como si todos estuviéramos al tanto de no sé qué secreto.

Una vez dormido y reposado me encontré fresco y alegre y me dejé llevar por el ambiente jocoso –no desprovisto de amenazas– que reinaba en la plaza.

Una orquesta dirigida por un hombre vestido de rey, con cetro, ínfulas y tabardo –quizá se trataba realmente de un monarca– se elevó en un globo, se colocó sobre el monumento y tocó un aire con mucho ritmo que estaba dedicado –eso dijeron a mi vera– a la giganta. Mientras la gente bailaba siguiendo el compás desenfrenado escudriñé los alrededores, hasta que me fijé en un soportal sobre el que había un rótulo:

LABERINTOS

Mientras me dirigía a él los peregrinos cantaron:

Agáchate
y vuélvete a agachar
que las agachaditas
no saben bailar.
Hache, i, jota, ka,
ele, elle, eme, a,
que si tú no me quieres
otra moza me querrá.

O bien:

Un loquito del hospicio
me ha dicho en cierta ocasión:
ni son todos los que están
ni están todos los que son.

Una pareja se acercó al pedestal y ofreció a la giganta una botella con un conejo dentro.

Al llegar al soportal me encontré con una gran puerta de madera que reproducía el mismo letrero

«Laberintos» y además «Laberinto primero». Sin duda hacía mucho que no habían utilizado esta puerta ya que chirrió al empujarla. Antes de cerrarla miré una vez más a la giganta; me sonreía tal vez con algo de malevolencia.

Todo quedó oscuro y apenas si se oía la algarabía de la glorieta. Pronto atisbé los laberintos, es decir, el primer laberinto. En la pared, en imágenes, vi:

LABERINTO PRIMERO

CUADROS BLANCOS

Iba caminando hacia el castillo cuando me topé con una carreta atestada de niños que corría a una velocidad excesiva por mitad del camino. Era imposible saber quién tiraba del carruaje. La nube de polvo impedía verlo; probablemente, pensé, un caballo desbocado. Los niños lanzaban alaridos de terror.

Frente a mí se alzaba el castillo medio derruido. Una de las paredes estaba intacta salvo en la parte superior. En lo que había sido la torre del homenaje había una mujer desnuda con una larga cabellera que la cubría, atada por las manos.

La carreta siguió corriendo hasta que chocó contra un árbol. Fue una conmoción estridente: los niños se desparramaron por el suelo. Todos iban vestidos siguiendo la moda infantil de hace varios decenios: las niñas con miriñaques y los niños con futraques de terciopelo. Comprobé que la carreta no iba tirada por nada ni por nadie.

Subí al primer piso de lo que quedaba del castillo y la encontré. Ya no estaba ni atada ni desnuda, me recibió con un traje cuajado de perifollos y de encajes, cintura muy baja y un largo escote presidido por un lazo en el centro. Lazo de un tamaño impresionante.

Casi sin haberme saludado, me dijo que tenía una colección de cuadros que «tenía que ver». Me parece incluso que empleó la palabra «maravillosos» para definirlos. Parecía un poco distante y aturdida hasta el punto de que llegué a preguntarme si estaría drogada.

Me llevó a uno de los salones. Era una estancia destartalada con boquetes ruinosos en las paredes, en donde hubo en su día ventanas. El suelo estaba cubierto de polvo.

–Ésta es mi colección de cuadros.

La miré con cuidado; todos los cuadros eran exactamente iguales: representaban superficies perfectamente blancas. Supuse que sería la creación de algún discípulo desconocido de Mackiewich. Ni siquiera había leves sombras, eran blancos totalmente.

Luego me los explicó. Cada cuadro reproducía un acontecimiento o una escena característica: la Venus en el jardín, el Apolo con la paloma en la cabeza, la pastora y la campesina, las máscaras griegas. Conforme su explicación avanzaba su cara se transformaba. Parecía que vivía los cuadros. Sus ojos chispeaban de una manera muy especial.

–Fíjese en la sombra de la mano sobre el vaso. ¡Qué maestría!

Y añadió:

–Luego le conduciré al salón del trono. Allí tengo el mejor cuadro.

Me afirmó que aquel lienzo encerraba el secreto de su vida. El tono de su voz era casi de susurro y desde luego de emoción.

–¿No le parece que el mejor de esta habitación es este que representa unas patas de caballo al galope?

–Opino lo que usted –le dije.

–Todo el mundo me dice lo mismo.

Con gran misterio me llevó al salón del trono. Me guió como a un ciego hasta sentarme en lo que ella llamó «el trono del monarca». Todo estaba completamente oscuro. Era un asiento incomodísimo. Estaba algo atemorizado.

Antes de correr las cortinas de la ventana me dijo que iba a ver un cuadro que a primera vista parecía una superficie blanca. Tenía que mirarlo con detenimiento, según ella, «ayudándome con la memoria» (repitió varias veces), a fin de que la imaginación me permitiera comenzar a ver poco a poco el color. Y así el cuadro dejaría de ser blanco para volverse gris y para ir adquiriendo los colores y las líneas de la escena.

Hubiera jurado que su comentario lo entrecortaba con gemidos. Fue a la ventana y corrió la cortina; el salón se iluminó.

Mi sorpresa fue mayúscula; no había un cuadro, había dos: uno era el retrato de una mujer desnuda en lo alto de un castillo derruido, en lo que había sido la torre del homenaje, la mujer tenía una larga cabellera que la cubría y las manos atadas; el otro cuadro representaba una carreta que acababa de chocar contra un árbol. Los niños aparecían desparramados por el suelo. Todos iban vestidos siguiendo una moda infantil de hace varios decenios: las niñas con miriñaques y los niños con futraques de terciopelo.

LABERINTO SEGUNDO

EL CISNE

La enfermedad me obligaba a quedarme en casa. Los médicos no sabían cuál era mi dolencia. Los síntomas eran sencillos: impresión de fatiga que se manifestaba con vértigos y delirios. Se me figuraba que la casa se movía cuando andaba, tal era la fragilidad de mi mirada y de mi pensamiento.

Poco antes de caer enfermo, el cisne, a pesar de tener un estanque en el patio, se pasaba el día en las habitaciones de la casa. Me seguía por todas partes. Por la noche dormía sobre mi cama y cuando tenía frío, con el pico, levantaba las sábanas y se metía dentro.

Le había tomado bastante cariño. Cuando iba a ducharme por las mañanas me acompañaba y chapoteaba feliz. Por cierto que en aquella época, quizá por mal funcionamiento de las cañerías, el agua no salía con la fuerza acostumbrada.

Al cisne le gustaba que le rascara entre las alas

y emitía gorjeos de lo más divertidos. Un día, al entrar en la alacena, me llevé un susto: el cisne estaba pegado contra la pared en una posición que juzgué imposible. Inmediatamente se lanzó a mí como para abrazarme.

Los médicos me habían recomendado mucho reposo, pero yo tenía la impresión, por el contrario, de no soportar la cama. Los vahídos menudeaban y vivía día y noche como inconsciente.

El cisne cada vez se volvía más afectuoso; se diría que no podía vivir sin mí. Empecé a sospechar que bebía el día en que habiendo dejado una botella abierta en el comedor, horas después apareció vacía y caída en el suelo.

Hice algunos experimentos con alcoholes diferentes, con vinos de peor o mejor calidad. No cabía duda: el cisne se bebía mis botellas. Lo que me preocupaba era su simulación, ¿por qué no bebía en mi presencia?

Un día que entré en la bodega no supe qué pensar: más de la mitad de las botellas estaban vacías y diseminadas por el suelo. Casi me entraron ganas de reír: ¡cómo podía beber tanto el cisne! Me desmayé.

Cuando me desperté allí, en la bodega, estaba el ave abrazándome con las alas, metiéndome su largo cuello bajo mi sobaco izquierdo. Emitía gorjeos felices.

Mi debilidad era tal que incluso creí que las paredes se movían. Me incorporé y miré a mi alrededor. Veinte botellas más estaban vacías.

Me acosté y descansé. Cuando me desperté, de

puntillas, fui a ver al cisne. Le busqué por toda la casa y por fin le encontré pegado en una de las paredes de la cocina. Daba el sol en ella y pude observarla.

La pared estaba completamente empapada de vino y luego vi que todas las paredes de la casa también estaban impregnadas así como el suelo; y la casa se tambaleaba, borracha.

LABERINTO TERCERO

La transformación

Tenía mucho cuidado de que el tarro de cristal estuviera siempre herméticamente cerrado. Había pegado sobre el vidrio un soneto que había encontrado en un libro antiguo y que se titulaba:

Cumatepán

Eslovando de cema la ñuipera
binotera sin dácil timisfora
escandora la tarca mi tandrora
si es la minoa la cadan la ripera

erto mus muna y guise de la elvera
el esdatio extoplana en la emanora
la coroban las tracas de nesora
como tor gemitila la danpera

incibaca toseno con isrierno
el recillo queriebra la ramida
molo bacras alneman el operno

exnopía la muba de la cida
epijaque racines beresente
lamareco de lose pucha buente.

Cuando salíamos de excursión, en su coche, como ella conducía muy de prisa y descalza, procuraba que el frasco no se rompiera, por ello lo llevaba entre los muslos bien apretados.

Al principio no me atrevía a meterme en el agua cuando estábamos en la playa: no podía correr el riesgo de dejarle en la arena exponiéndome a que cualquiera lo pisara, lo robara o lo quebrara; tampoco podía bañarme con él sin saber si la tapadera resistiría la humedad.

Por la noche pasaba horas enteras contemplándolo, mirándolo fijamente, meditando. Cuando mi atención se concentraba de lleno en algunas de las particularidades de su forma (que nada tenían de particular) encontraba incluso explicaciones a algunas de mis incógnitas.

Más tarde tomé la decisión de llevarlo siempre atado a mi cuerpo. No quería que estuviera separado de mí o que hubiera la posibilidad de que se alejara. Deduje que el ideal sería que una cinta ciñera la hendidura natural del frasco –un centímetro bajo la tapadera–. Pero, ¿a qué parte de mi cuerpo iría unida esta cinta?

Durante una época la llevé unida a la muñeca, que es el centro de la voluntad. Más tarde me pareció obvio unirla a mi cuello, centro del fuego y quizá de la vida. En ocasiones la ataba sencillamente en torno a mi cintura rindiendo con ello un homenaje a la sordidez humana. Durante semanas la colgué de un dedo, cambiando de dedo según las circunstancias que me rodeaban.

Cada vez que salíamos juntos ella parecía hechizada por el tarro. Recuerdo que una vez que llegó a casa de improviso y que me encontró con él en el centro de la mesa, mirándole fijamente, mediando, se sentó y permaneció junto a mí en silencio, creo que intentando imitarme.

Por fin, como me temía, un día me dijo:

–Regálame el tarro.

–¿El tarro?

–Sí.

A regañadientes se lo di.

Entró en la cocina y se puso a hacer mermelada con el contenido. Pero no me atreví a revelarle que en el interior del frasco estaba mi alma.

LABERINTO CUARTO

EL VAMPIRO

Perdía poco a poco la memoria. Me olvidaba de las cosas más elementales. Iba cargado de agendas con un sinfín de apuntes, de números de teléfono, de datos. Se podía decir que todos los recuerdos de mi niñez, de mi juventud y de mi adolescencia habían desaparecido por completo.

La colección de cuadros de mi amigo era de lo más insólito que dar se pueda. Nadie como él sabía pintar los temas fantásticos para que resultaran familiares: viendo su obra me imaginaba incluso encontrar respuestas a algunos de los enigmas: suicidio, angustia, fe, felicidad.

Los médicos me aconsejaban tomar píldoras de fósforo para que recobrara la memoria; pero era inútil. Para colmo me olvidaba de todo lo que era anécdota, todo lo que era vida, todo lo que mezclándose entre sí produce la imaginación; por el contrario, en mi memoria sólo iban quedando fechas, nombres y números.

Un cuadro de mi amigo me gustaba particularmente. Representaba un hombre con traje renacentista que se mira en un espejo. Sostenía en la mano derecha un ataúd diminuto de cristal (en el interior de él se veía una mano atravesada por un candado, un manojo de llaves y un castillo derruido). Aunque aún no lo había terminado barruntaba que iba a ser una obra maestra.

Mi amigo pintor, desde que había comenzado este cuadro, se había instalado en mi casa. El primer día colocó una espada sobre la cama y me pidió que yo durmiera a la derecha, él dormiría a la izquierda. A pesar de que el método no me agradaba, acepté.

Tenía la impresión de que esta pérdida de memoria incomprensible traía consigo, como era de suponer, el menoscabo del resto de las facultades: mi inteligencia menguaba, carecía de imaginación, era incapaz de querer.

En el cuadro el hombre con el ataúd se contemplaba en un espejo barroco. Su imagen no reproducía exactamente la escena; en el espejo se veía el cuerpo del hombre, pero no la cabeza, ésta figuraba entre sus manos donde normalmente hubiera debido estar el ataúd.

Días después me notificó mi amigo que había concluido el cuadro y que, por lo tanto, ya no necesitaba mi hospitalidad que me agradecía.

Por casualidad, noches después, encontré a mi amigo bajo uno de los puentes de la ciudad. Estaba pegado a una vieja vagabunda con los labios sobre la nuca de la mujer. El lugar olía a excrementos y a vino. Le llamé, mas no me respondió.

Cuando le puse la mano sobre el hombro levantó la cabeza y me miró sin reconocerme, con una ira inhumana; inmediatamente volvió a pegar su boca contra el cogote de la vieja pobre.

Volvía a casa cuando decidí pasar por su taller, precisamente, aprovechando su ausencia.

En el centro del taller, sobre el bastidor, descansaba el retrato de la vieja vagabunda, sentada sobre una columna derribada, un barco fantasma se acercaba a ella; el resto del lienzo estaba aún en blanco.

A la derecha estaba el cuadro que tanto me fascinaba con el ataúd entre las manos, ya terminado. Había colocado por detrás un león y una vaca. Y el personaje central se parecía a mí de una manera sorprendente.

Abrí un armarito; había un estante con este letrero: RESERVAS DE MEMORIA. Sobre él, varios frascos de cristal; en cada frasco un líquido pardo y un rótulo escrito a mano. En uno de ellos figuraba mi nombre. Con sigilo abrí el recipiente y me bebí el contenido. Y mi infancia y mi juventud y mi niñez y mi biografía volvieron a mi cerebro.

LABERINTO QUINTO

EL MAR

Con los ojos cerrados y los miembros relajados permanecía acostado sobre la superficie del agua. El mar estaba en calma, nada se movía, era la bonanza. Cuando me había enseñado esta postura no la había llamado, como a menudo he oído, «hacer el muerto» o «hacer la plancha», sino «dormir sobre el agua».

–El mar simboliza el sueño y a veces la pesadilla –dijo.

Más de una vez se le había visto junto a la playa tendido sobre la arena y durmiendo de tal manera que el agua le cubría la comisura de los labios, una oreja y todo un costado.

Yo sentía sobre mí, a pesar de tener los ojos cerrados, el sol. El agua me cercaba y parecía que ni me mojaba. No oía ningún ruido: la playa estaba desierta. Me mantenía quieto desde hacía varios minutos.

Abrí los ojos: ya estaba junto a los riscos. Alguien cantaba, con acento aldeano:

Aunque me voy, no me voy;
aunque me voy, no me ausento:
aunque me voy de palabra,
no me voy de pensamiento.

Sin moverme, oteé las rocas y creí distinguir su cara que parecía esculpida en bajorrelieve sobre una alta piedra. Sí, era él. Reía a carcajadas, y dijo:

–El amor es la memoria.

En efecto, su cabeza formaba parte de la roca más alta; otro peñasco cercano parecía estar encerrado en una jaula. En el fondo del abra, recostado sobre el mar, yo miraba hacia lo alto.

–El amor es la memoria –reiteró.

Me volví, abandonando la posición, y fue entonces cuando me di cuenta de que el mar no era de agua, sino de sangre.

LABERINTO SEXTO

La esperanza

El pintor, cuando me hablaba, lograba hacerlo con ademanes muy aparatosos que no excluían una serenidad natural. Era un hombre muy serio, para el que hacer mi retrato suponía, ante todo, ganar una cierta suma. Había en él una conciencia artística velazqueña y una lentitud que hubiera podido pasar por poltronería, de no conocer su genio.

Conforme me fue haciendo el retrato mi cuerpo se fue cubriendo de letreros. En el dedo anular de la mano derecha surgió la palabra DESEO, en la planta de los pies DESTINO y MUERTE. Es posible que estos letreros tan sólo los viera yo: estaban dibujados de tal manera que se podían confundir con las líneas naturales de la piel.

Si miraba con detalle encontraba letreros en los sitios más diminutos: en la intersección de dos dedos, en el borde de una uña, en la comisura de los labios.

El artista me retrataba sin tenerlo en cuenta. Hablábamos poco. Él, mientras pintaba, estaba como ausente, pero en su actitud no había nada artificial ni melindroso. Se diría que se preocupaba tan sólo de sus problemas domésticos. A veces silboteaba un aire de música clásica, en ocasiones de vanguardia.

Sentado en la silla, vestido tan sólo de un pantalón blanco ceñido, pasaba horas inmóvil. Me entretenía observando mis letreros: un inmenso FUEGO atravesaba mi pecho; mi corazón estaba adornado con la palabra AGUA y en cada una de las costillas una inscripción: LÍNEA, ADULACIÓN, SIETE, etc.

El artista a veces descansaba tranquilamente. Parecía la imagen de la comodidad: las piernas estiradas y separadas, medio tumbado en el sillón, acariciando con insistencia los pelos que asomaban en las ventanas de su nariz.

A pesar de que padezco insomnio sucedía que muy a menudo me entraba un sopor particular y caía dormido irremediablemente. Tenía la impresión de que el pincel del pintor, al pasarlo aplicadamente sobre la tela, acariciaba ese sector de mi cuerpo hasta amodorrarme.

Cuando esto sucedía siempre soñaba lo mismo, aunque con variantes que no cambiaban el fondo. El sueño se dividía en tres períodos:

–durante el primer período poseía, gracias a las explicaciones simbólicas de los miembros de mi cuerpo, el dominio de la cuarta dimensión, cosa que podía comprobar gracias (?) a un árbol cargado de manos.

–durante el segundo período, subido en una lancha que tenía la forma de la esperanza (?), bogaba hacia una región en la que me esperaba una persona que doraría mi cuerpo.

–durante el tercer y último período caía durmiendo en mi sueño y me preguntaba a qué nivel, es decir, si soñaba que soñaba o si soñaba que soñaba que soñaba, etc.

Los tres períodos se sucedían sin solución de continuidad.

Terminado que hubo el cuadro, el pintor me avisó de que debería colocarlo en el salón entre dos velas de tamaño diferente. Al marcharse me lanzó una frase incomprensible que aludía –creo– al «superviviente que encontraría».

A partir de aquel día ya no pude dormir más. Me pasaba las noches y los días en vela. Por más esfuerzos que hacía me era imposible conciliar el sueño.

Una noche, semanas después, oí la voz del pintor que me llamaba desde el jardín. Bajé pero no estaba allí.

En el centro del jardín, de donde provenían las llamadas del artista, un árbol cuajado de manos humanas se meneaba con el viento. Me alejé para verle en perspectiva, cuando me di cuenta de que ya estaba en la playa.

Había una lancha en la que me subí sin pensarlo; su nombre figuraba en letras rojas: ESPERANZA. El marinero me dijo que debería dejarme untar por un ungüento especial. Cerré los ojos y sentí las manos sobre mi cuerpo. Cuando al acabar vi mi imagen reflejada en el mar, observé que me habían cubierto de oro.

Desembarqué: estaba enfrente de mi casa. Subí corriendo las escaleras hasta llegar al salón. Miré el cuadro y vi que mi imagen dormía, que yo dormía en el retrato.

LABERINTO SÉPTIMO

LA DAGA Y LA BANDERA

Al subir en el avión creí notar que había olvidado un objeto, quizá importante. Y sin embargo había hecho las maletas con esmero. Hice múltiples conjeturas. ¿Era un libro, una carpeta de apuntes, un objeto indispensable? Enumeré todo cuanto hubiera podido haber olvidado sin encontrar respuesta.

Era un viaje de seis horas, nocturno. Como de costumbre, en este caso, en cuanto el avión despegó quedé dormido. Al poco tiempo me despertó la voz de la azafata, quizá también el roce de su mano sobre la mía:

—¿Desea cenar el señor?

Le notifiqué que me gustaría que no me volviera a despertar durante el viaje. Estaba demasiado contento de poder dormir fácilmente, sin los insomnios que atormentan mis noches, para dejarme distraer por la cena.

No se puede decir que soñara; era una situación particular provocada por el leve ruido de los reactores, el susurro de las conversaciones de los vecinos, la luz, la postura ligeramente incómoda. A veces el ruido ambiente se convertía en coro y durante minutos oía entre sueños canciones de mi niñez que pensaba ya sepultadas en el olvido:

Morito Pititón
del nombre Virulí,
ha revuelto con la sal,
la sal y el perejil,
perejil, don, don,
perejil, don don,
las armas son.
Del nombre Virulí,
del nombre Virulón.

Constantemente estaba entre el sueño y la realidad, de tal manera que en ocasiones tomaba por realidad lo que era una deformación. Las sensaciones que todo ello provocaba me producían una excitación física que me era grata. Todo mi pensamiento se colmaba de aventuras, pero también de amenazas.

En uno de estos instantes de confusión, de acumulación de sensaciones, «vi» cuál era el objeto que había olvidado: se trataba de la bandera roja con centro de dragón que llevo conmigo cuando viajo para huir de los maleficios. Tras esta primera visión llena de claridad, de nuevo me introduje en una serie de sueños intrincados que sería harto incapaz de transcribir a derechas.

La voz de mi vecino dirigiéndose a otro viajero

me despertó un instante. Pero rápidamente torné a soñar: soñé que me encaramaba a lo alto del avión y que tras mil esfuerzos me deslizaba hasta la bodega de las maletas. Tras unos minutos de búsqueda di con la mía. La abrí; el estuche en el que guardo la bandera roja con el dragón estaba sobre la ropa, pero dentro no había ninguna bandera; por el contrario una daga afilada sin funda lucía sobre el terciopelo rojo.

Cogí la daga, la besé, y me la llevé al bolsillo derecho de mi pantalón. Un fuerte olor a café puro me despertó.

Aterrizamos: al bajar a tierra vimos que, contra todo lo previsto, el aeródromo estaba completamente vacío. Tan sólo en lo alto de una de las terrazas alguien me hacía señas.

Al acercarme advertí que era yo el destinatario de aquellos gestos. Uno de mis ex compañeros de Instituto –que no veía hacía años– me invitaba a subir a la torre de control. Me acordé de que un día me había dicho una frase incomprensible:

–Es difícil distinguir el compromiso de la perennidad.

A pesar de los años que han transcurrido, esta frase sigue en mi cabeza. ¿De qué compromiso se trataba? ¿A qué perennidad aludía? ¿Por qué esa limitación «es difícil» que daba a la frase una realidad superior?

Subí las escaleras a su encuentro y llegué a la torre de control; allí estaba con su capa negra con vistas de terciopelo rojo. Llevaba en el bolsillo superior de la chaqueta un pañuelo rojo con un dragón en el centro.

Fui a tenderle la mano e inexplicablemente saqué de mi bolsillo la daga. La miré incapaz de saber qué hacer. De pronto algo condujo mi mano de una manera irresistible (todo ello en medio de un gran desorden mental). Sin más le clavé con todas mis fuerzas la daga en el pecho. Contemplé un instante el cadáver. Bajé las escaleras en un santiamén cuando oí una canción:

Al tío Tomasón
le gusta el perejil,
en invierno y en abril,
mas con la condición,
perejil, don, don,
perejil, don, don,
la condición.
Que llene el perejil
la boca de un lechón.

Pronto la voz de la azafata dirigiéndose a mi vecino me despertó. ¡Felizmente! Era un sueño, una pesadilla; seguía en el avión. Miré la hora: aún quedaba hora y media.

El resto del viaje lo hice dormido y sólo me desperté en el momento en que la azafata ordenó:

–Sírvanse, señores viajeros, atarse el cinturón de seguridad.

El avión (ahora, verdaderamente) aterrizó. Los oficiales nos condujeron a una puerta lateral, y no a la principal, del aeródromo. Uno de los pasajeros preguntó el motivo de este cambio. El oficial respondió:

–Hace hora y media que se ha cometido un crimen. Un hombre ha aparecido en la torre de control con una daga clavada en el pecho.

Le pregunté si conocía el nombre de la víctima y el oficial me dio el nombre de mi ex compañero de Instituto.

LABERINTO OCTAVO

EL LEÓN EURÍPIDES

En ocasiones, cuando iba a decir una palabra, ella decía la misma. También sucedía que era yo el que decía la palabra que ella iba a lanzar. Poco a poco comprobamos que a veces estábamos pensando los dos en lo mismo. En las habitaciones de la casa, entonces, reinaba una luz que era difícil de definir. En la habitación del fondo moraba el león Eurípides.

Un día en que estaba pensando en los mecanismos de la memoria, ella me habló de pronto del mismo tema. Investigamos la concatenación de pensamientos que habíamos seguido cada uno. Los dos habíamos procedido de la misma manera. Esto quería decir que durante más de quince minutos habíamos reflexionado de la misma forma. En el cuarto del fondo el león Eurípides retozaba. Por las noches íbamos a visitarle y cuando le acariciábamos hacía unos ron-ron largos y sonoros casi como un motor de coche.

Repetimos varias veces las observaciones: no cabía duda, pasábamos largos ratos pensando lo mismo. Intentamos establecer cuál era el mecanismo. Tres hipótesis surgieron: o bien era yo el que pensaba y «dictaba» a ella mi pensamiento, o bien viceversa; o bien manteníamos una conversación mental creyendo actuar solos. El león Eurípides se paseaba por su estancia dejando que la luz diera a su cuerpo tonalidades diversas.

Durante otra época imaginamos otras hipótesis de las que hoy he olvidado la mayoría. Una de ellas nos tranquilizó: quizá alguien nos dictaba el pensamiento a ambos, al mismo tiempo. Estudiamos la posibilidad de que dictara a otras personas, sin resultados satisfactorios. Cuando por la noche visitábamos al león Eurípides nos recibió en la oscuridad, dos letreros luminosos escritos en sus ojos: LINEA DEUS.

Un día creímos comprender nuestra «misión»: llegar a la telepatía constante y brindarla a la ciudad. Para ello realizamos tres series de operaciones: primero nos entrenamos con naipes en sendas habitaciones; al cabo de dos meses pudimos leer a través de una pared. La segunda operación consistió en masajes de los lóbulos pulmonares. La tercera consistió en rodear nuestras camas de telas metálicas. El león Eurípides en su cuarto planeaba por los aires meneando feliz el rabo.

Por fin llegamos a la telepatía constante y comunicamos a la ciudad nuestro hallazgo. En poco tiempo todos los ciudadanos llegaron a adquirir esta facultad.

Tras la euforia primera la gente atravesó un corto espacio de tiempo que degeneró en innumerables y a menudo sangrientos dramas sociales, familiares y conyugales. Los supervivientes se encontraron ante una gran monotonía que traía consigo la imposibilidad de comunicarse. Todos añoraban aquel tiempo en que aún imperaba la mentira, el halago, el engaño, la intimidad. El león Eurípides, recluido en la habitación, nos recibía dando saltos de alegría e incluso lamiéndonos las manos.

De nuevo nos pusimos a trabajar, a hacer experimentos. Tras muchos meses de fracasos, de pistas falsas, de esperanzas frustradas, pudimos dar a la ciudad la gran noticia: habíamos descubierto el secreto de la interrupción de la telepatía.

Cuando entramos en la habitación por la noche, vimos en la oscuridad los ojos del león Eurípides, los letreros de sus ojos habían cambiado, ahora decían PUNTO y DEI. Encendimos la luz; pero ya no había león Eurípides.

LABERINTO NOVENO

BOTTICELLI

A pesar de que no veía ni su cabeza ni su cuello, ni sus pies, ni sus rodillas, inmediatamente supe que era la Venus en el momento de nacer, de Botticelli. Allí estaba con su cabellera rubia recogida sobre el pubis, tapándose con una mano. La otra mano, con la misma delicadeza, estaba colocada sobre su pecho, con los dedos ligerísimamente apartados. Y así, recortada sobre mi ventana, la Venus permaneció inmóvil largo rato.

Los colores eran demasiado artificiales para ser feos. En esa ausencia de sordidez había algo inhumano que me infundía confianza en mí mismo. Cerré los ojos e intenté de nuevo dormir.

Cuando me desperté, una vez más la Venus se perfilaba graciosa en el marco de la ventana. Ya hacía una semana que durante la noche, cada vez que me despertaba, la veía quieta. (Y cosa curiosa, hacía una semana que no lograba soñar.) A pesar de la oscuridad distinguía la parte inferior del fondo verdosa y la mitad superior, más clara.

Precisamente hacía siete días me había visitado al anochecer un individuo con quien había topado en la playa. Era un hombre de cierta edad, rollizo y risueño, grandes labios carnosos y boca ancha, ojuelos pícaros y diminutos y nariz dilatada. A pesar de estar en la playa llevaba chaqueta y abrigo amén de una corbata impecable que desdecía con su sucia camisa arrugada.

Lo que más llamaba la atención en su atuendo era un fabuloso sombrero de copa alta y brillante adornado por un letrero dorado que no llegué a leer.

Reía de buena gana y no cabía duda de que era feliz. Su cara, ancha, estaba poblada de cortos y duros pelillos blancos, síntoma de que hacía tres o cuatro días que no se afeitaba. Durante todo el tiempo que estuve con él en la playa y luego por la noche en casa estuve temiendo que me besara, temor en sí bastante infundado, ¿por qué me iba a besar?... Además, todo lo que me hubiera molestado es que su barba me pinchara en demasía.

Al llegar por la noche se instaló frente al gran espejo del comedor. Llevaba en los bolsillos de su chaleco una regla de calcular, varios compases, lápices afilados, tiralíneas y otros objetos de precisión.

Sobre mi imagen del espejo comenzó a trazar líneas geométricas para encontrar, dijo, dónde se escondía en mi cabeza cada una de mis facultades. Minutos después el espejo estaba poblado de líneas rectas, de puntos, de letras griegas, de segmentos.

Fue en aquel momento cuando se acercó a mí y de una manera que juzgué «evidente» me besó. En efecto, su barba me picó. Al aproximarse tanto a mí noté un detalle que me había escapado: llevaba el sombrero de copa calado en la cabeza casi hasta los ojos.

Como si no hubiera pasado nada me siguió explicando «mi cabeza». Hizo mucho hincapié en un sector triangular situado en pleno cuero cabelludo sobre la oreja izquierda. Dijo que en el centro de este triángulo se encontraba el órgano que producía mis sueños.

De pronto le entraron muchas prisas y como había venido se marchó, no sin antes lanzarme, como si se tratara de un mensaje:

–¡Nos veremos!

Recostado sobre la cama vi de nuevo la Venus con su cuerpo radiante. De repente se me ocurrió una idea: si hacía una semana que no soñaba no sería que...

Corrí hacia el espejo. Como esperaba, tenía un orificio sobre la oreja izquierda en pleno cuero cabelludo.

Salí de casa en busca del hombre del sombrero de copa. Instintivamente me dirigí a la playa. Desde lejos vislumbré su sombrero inconfundible. Estaba durmiendo sobre la arena.

Al inclinarme sobre él distinguí la placidez de su rostro, la felicidad. Sin duda estaba viviendo las más apasionantes aventuras... ¡aprovechándose de mis sueños!

Decidido a recuperar mi bien le arranqué con fuerza el sombrero. Quedé pasmado: no había nada en su cerebro, nada sobre la frente, el vacío. Sin desanimarme examiné el forro del sombrero; allí estabo pegado un trocito de mi carne palpitando.

Cuando todo lo hube arreglado, miré el letrero de signos dorados que lucía su sombrero. Ponía: BOTTICELLI.

CAPÍTULO SEGUNDO

LA GLORIETA

Al terminar la visita del laberinto noveno me hallé de nuevo en la glorieta, que me pareció más refulgente y centelleante que nunca, en el centro parecía que la giganta había crecido. Los niños se desgañitaban cantando:

> A mí me llaman el tonto,
> el tonto de mi lugar;
> todos viven trabajando,
> yo vivo sin trabajar.

Al pie del monumento yacían los presentes de los peregrinos y entre ellos la botella con el conejo dentro que había visto depositar. La orquesta dirigida por el hombre vestido de rey seguía tocando, en el globo, sobre el monumento.

Recordé que el primer día, al levantarme, había notado que de los dedos de la giganta colgaban varios racimos de cadáveres. A aquella hora tan temprana es muy posible que fuera yo el único testigo del espectáculo. Los cuervos los fueron descarnando. Más tarde pasaron los barrenderos que echaron los esqueletos en camiones cisterna llenos de agua de mar; en el agua de estos aljibes se podía leer la palabra ESPERANZA.

Pero cuando la gente comenzó a llegar, lindando las once de la mañana, ya no quedaba ni rastro de todo aquello; y la «verbena» pudo comenzar.

Recuerdo que un rapaz que llevaban a hombros un grupo de mujeres se colocó sobre el zócalo y exclamó:

–Perogrullo, soneto dedicado a la giganta.

Es posible que no empleara esta expresión, es probable que utilizara otra más chocarrera, el caso es que reí mucho al oírle. No pude captar el primer cuarteto por la batahola que se formó. Pero oí con claridad el segundo:

> Le miraba a su madre y la veía
> el jabón lo emplea si se lava
> los billetes de banco los ganaba
> pues el agua mojaba todo el día.

Con descaro muchos se pusieron a palmotear, a reír, a beber a chorro en botas... resultaba imposible escuchar el resto del soneto.

Entraron en la glorieta un grupo de soldados que fue recibido con un vivo clamoreo. Eran unos pícaros que guiñaban el ojo a las chicas si no hacían nada peor. Llevaban unos relucientes trajes azules, llenos de charreteras, bandas, cordones, medallas. Al que les dirigía le costó mucho trabajo mantenerles en formación. Se pusieron a cazar el globo con grandes lazos.

Se armó una batalla bufonesca entre los militares desde abajo, con sus lazos, y el monarca ayudado por toda su orquesta desde el globo; éstos echaban sacos de arena sobre los soldados para cegarles. El público seguía la refriega, marcando las incidencias con risotadas soeces.

Por fin los soldados cazaron el globo con uno de los lazos entre los aplausos de unos y el abucheo de otros. El globo tomó tierra.

Los más atrevidos pincharon el globo. Luego ya todos comenzaron a cortar las badanas en miles de pedazos que ofrecían a la giganta con pruebas tales de humildad que resultaban, por el contrario, llenas de descoco.

Fue entonces cuando vi, bajo el pedestal, una puertecita disimulada que decía:

LABERINTOS · LABERINTO DÉCIMO

Llegué allí a duras penas: la gente me empujaba y hubo hasta quien me echó la zancadilla. La puerta era muy pequeña. Hube de franquearla reptando por el suelo; una vez dentro vi:

LABERINTO DÉCIMO

La ciudad desierta

Salí de casa y no encontré a nadie ni en el pasillo, ni en las escaleras, ni en el portal, ni en la calle. Los chavales no cantaban como solían hacerlo a esta hora aquello de:

> Todas las envidiosas
> se han juntado
> a comerse un borrico
> desorejado.

Las ventanas estaban vacías, nadie se asomaba a los balcones. Las tiendas, como de costumbre, estaban abiertas pero no había ni vendedores ni parroquianos.

Por la mañana me paseé por la ciudad, por sus avenidas, por sus plazas, por sus parques sin encontrar a nadie, sin que nadie apareciera. La ciudad estaba completamente desierta, deshabitada, como desolada.

Y sin embargo nada había cambiado, creí entonces: las mismas aceras, las mismas paredes, los mismos portales, todo seguía exactamente igual. ¿Cómo era posible que un día de diario a las once de la mañana no hubiera ni sombra de animación? Hubo un momento en que abrigué la loca esperanza de encontrar las aceras sembradas de cadáveres, pero nada, no había nadie ni muerto ni vivo.

Sólo más tarde me percaté de que en el horizonte donde se perfilan normalmente las cumbres de la sierra, ahora se divisaba una especie de segmento circular de color oscuro. Esta forma no tenía unos contornos precisos, eran más bien gigantescos flecos de una colcha colocados hacia arriba. Me parecía increíble que fuera una imagen tan difícil la que me sugiriera el espectáculo del horizonte.

Tres horas más tarde me di cuenta de que no había ningún ruido. Los coches parados en las calzadas, el semáforo seguía funcionando, pero silenciosamente. Esta sensación de silencio, «audible», me resultó insufrible, parecía que los oídos me iban a estallar... ¡y pensar que durante tres horas no me había percatado de ello!

La sombra del inmueble, cuya mole domina la ciudad, contrariamente a lo que siempre sucedía a esta hora, no sólo atravesaba la calle, sino que lamía el muro de enfrente hasta los terceros pisos. El inmueble había crecido: ya no era una mole cuadrada, ahora era un esbelto rascacielos.

E incluso las puertas y las ventanas también se habían erguido; ya no eran cuadradas, ahora eran rectangulares. Pero no sólo las galerías centrales habían «crecido», sino que también se habían alargado hacia el cielo el supermercado y el banco central y el edificio H. En realidad toda la ciudad se había estirado como si la hubiera construido un arquitecto discípulo del Greco.

En el horizonte el segmento había emergido algo más de tierra abarcando una extensa franja de varios centenares de kilómetros: invadía todo el horizonte sur.

Subí a la terraza del Museo de Ciencias Naturales que dominaba, con su telescopio, la ciudad. Vi otros dos detalles que me habían escapado: en las azoteas había descomunales teléfonos con fetos y en las aceras yacían un sinfín de bicicletas enjauladas.

En el horizonte la mancha aún había ascendido; ahora se podían ver dos enormes orificios negros similares.

Entonces fue cuando oí una voz que parecía venir de todo el universo a la vez:

–¿Qué te parece lo que he hecho, papá?

–¡Otra vez! ¡Ponlo todo en orden!, o si no vas a ver lo que es bueno.

Las manchas del horizonte emergieron definitivamente: era una gigantesca cabeza de niño sonriendo, los dos enormes orificios eran sus ojos.

Puso sus gigantescas «manitas» sobre la ciudad y cayeron bamboleándose miles y miles de muñecos, y la vida en la ciudad recobró su normalidad.

Una voz estentórea –la misma de antes– que parecía provenir de toda la eternidad, exclamó:

–¡Ay, qué hijo éste! ¡Todo el día gastando bromas!... ¿Qué será de él el día que yo le falte?

LABERINTO UNDÉCIMO

El ancla

La niña desnuda jugaba con su perrito pequinés blanco de pelo negro. Estaba recostado sobre la cama. Tenía el perrito agarrado con sus pies en alto, de manera que el hocico llegaba a su rodilla. Casi como La Gimbette de Fragonard. Con una rana en una mano llamaba la atención del pequinés. El cachorrillo intentaba coger la rana, pero quedaba preso entre los pies de la niña.

La niña tenía el pelo recogido por una cinta. Sus bucles dorados y su colita de caballo tan pizpiretos se movían siguiendo sus vaivenes. Estaba en los albores de la pubertad –como podía ver–, el perro prisionero meneaba la cola y «pedaleaba» sobre las piernas de la niña intentando liberarse y cazar la rana. Me pareció oír la risa de la niña. La rana también forcejeaba por escaparse.

Mientras contemplaba este espectáculo sentí que tenía en la cabeza un aparato semejante a una diminuta central eléctrica. Me daba la impresión de que dentro de ella mis recuerdos giraban en circuito cerrado.

Para distraerme de este pensamiento que no juzgué demasiado convincente, seguí mirando a la niña. Y vi que su cuerpo de un blanco anacarado reposaba sobre una cama cubierta de flores. Una pequeña ancla con la maroma ennegrecida por la humedad figuraba también.

A pesar de la oposición de mi voluntad, de nuevo me puse a entrever mi cerebro y esta vez no contemplé mis recuerdos girando en circuitos cerrados; en esta ocasión pensé que en mi cerebro había un pozo y que dentro de él había un líquido indefinible que me produjo una gran impresión. Me aproximé al pozo y grité. Me «desperté» con jaqueca.

Allí estaba aún la niña desnuda jugando con su pequinés casi en la misma posición que al principio: los pies en alto, el cuerpo sobre la cama, la cabeza sobre tres almohadones blancos.

Otra vez me descuidé. Vi el pozo en mi cerebro y allí estaba mi memoria. La examiné largo rato.

Mi memoria se conservaba en discos, dentro del pozo, y también en cintas cubiertas por un líquido impresionante. Me daba la impresión de que eran quesos metidos en aceite para que no se echasen a perder. La memoria estaba al alcance de mi mano y me daba aprensión tocarla.

Mi memoria estaba repartida en diversos paquetes: allí estaban unos recuerdos que creía baladíes de un tamaño mucho mayor que otros que imaginaba de mucha entidad, y allí se hallaba no sólo la memoria referente a mi biografía, sino también en bultos sueltos la memoria de mis padres y la de mis antepasados e incluso la de la humanidad. Y todo (discos, cintas, etc.) se conectaba entre sí por hilos finísimos. Y las diferentes partes tenían un sistema de interdependencia que me maravillaba por su sutileza.

Pasé largo tiempo casi en éxtasis y cuando fui a meter la mano para extraer uno de los discos sentí un tremendo trastazo en la cabeza que me «despertó».

Frente a mí la niña con su perro, a su vera el ancla. Y comprendí.

Voluntariamente me puse a pensar en el pozo y vi el líquido y mi memoria pero ahora con toda diafanidad, y me di cuenta de cómo se encerraba y de cómo emergían, y supe que allí estaba la vida, y sentí el palpitar del pozo que se sincronizaba con mi palpitar, y viendo mi memoria veía el espectáculo del conocimiento y de la crítica del conocimiento, y era sublimemente consciente.

Me «desperté» y descubrí frente a mí la niña con su perrito, la rana y el ancla. Pero comprendí que no era nada más que una diminuta figurita de porcelana que se alzaba en la palma de mi mano.

LABERINTO DUODÉCIMO

CRICKET

El partido de cricket lo contemplaban pocos espectadores. Tan sólo gente de edad, los niños en el césped cercano cantaban en medio de los siseos enojados de los adultos aquello de:

Manojitos de alfileres
me parecen tus pestañas
cada vez que las meneas
se me clavan en el alma.

El bowler se preparaba para lanzar la pelota tras la rápida y violenta carrera, el batman con su bat entre las piernas, apoyado en el suelo, esperaba ojo avizor. En este momento fue cuando, a pesar de la afición con que sigo estos partidos, de repente mi atención se distrajo. Seguía mirando el pitch y los pads, vigilaba la actitud del wicket-keeper... pero de pronto recordé el sueño que había tenido la noche pasada:

Soñé que estaba en un teatro ruinoso que olía mal. Por todas partes se extendían escombros y despojos, amén de cascotes. Los asientos, sin embargo, eran de cuero reluciente. En la escena una tiple de ópera rodeada de alambradas cantaba vestida como de dama antigua, de ricadueña, una canción que no hacía al caso:

> Cuando vengas a verme
> ponte a lo oscuro
> pa que crea mi padre
> que eres el mulo.

Las entonaciones que le prestaba eran particularmente desproporcionadas. Este espectáculo me solazaba. Entonces me dio la corazonada de que todo aquello no era sino una trampa en la que había caído para someterme a los peores tormentos. Estaba tan atemorizado que incluso temblaba. Noté cómo comenzaban a tirarme puñales y vi varias sombras amenazadoras que se dirigían a mí. Me levanté para huir. Ella, muy serena, me dijo:

—¿Por qué tienes miedo?

—¡Estoy aterrado!

—¿Pero es posible? —Rió—. No te apoques por tan poca cosa; ten en cuenta que no estamos en la vida, se trata de un sueño.

—Qué va a ser un sueño —le dije—, es la pura realidad.

—Da una palmada y ya verás cómo estás durmiendo y soñando.

Di la palmada y me desperté con las manos juntas entre las cuatro paredes de la habitación.

El partido de cricket proseguía. Aquella semana iba todos los días a las dos y media a ver el combate que oponía el equipo de la ciudad al E. C.

El despeje del batman fue imponente. Dos jugadores se habían lanzado a todo correr tras la pelota mientras los batman iban y venían en el pitch, pero la pelota salió fuera del campo entre los aplausos comedidos de los espectadores, que ni siquiera lograban apagar las canciones de los niños en el césped de al lado:

> –En la calle no sé dónde
> mataron a no sé quién
> el vivo cayó en el suelo
> y el muerto se echó a correr.

Volví a pensar en el sueño que había tenido aquella noche. Quedé maravillado por el descubrimiento: una simple palmada me había hecho caer del sueño en la realidad. Con cierta zozobra pensé que quizá estando en la «vida» una simple palmada podía conducirme a «otro mundo».

Reflexionaba en esta posibilidad mientras casi inconscientemente veía cómo el bowler disparaba la pelota. El rebote en el bat sonó en mis oídos como un enorme chasquido, como una gigantesca palmada.

Giré sobre mí mismo frenéticamente, como una peonza, y cuando me «desperté» me encontré en medio de una superficie color azul metálico.

Quise andar pero daba saltos deliciosos. Era una bolita roja. Y por todas partes había bolitas de colores que se acercaban hacia mí. Y pronto chocaron contra mí y nos divertíamos como locos y me las prometí muy felices.

LABERINTO DECIMOTERCERO

La fuente de la juventud

El poeta se apretaba constantemente el vientre con sus manos. Se diría que buscaba una postura que le aliviara. Todos observamos que cada día estaba más decaído.

La casa del poeta rebosaba de libros; la mesa del salón, de cartas, de recortes. En los anaqueles, meticulosamente colocados, había objetos de los que todo el mundo decía que eran muy extraños. Los cuadros de las paredes estaban firmados por los pintores más célebres y caros de nuestra época, es decir, eran los «mejores». Cuando la gente salía de casa del poeta decía quizá sin malicia «es un verdadero museo».

Hundido en un sillón, su cara se transformaba con un rictus doloroso.

–¿Tanto le duele?

–No es dolor, es una sensación inaguantable.

Luego añadió:

–Si esta «sensación» continúa, me volveré loco.

El martirio del poeta había comenzado hacía una semana. Hasta entonces había vivido rodeado de una paz que le era particular y de un grupo de aduladores que veía todos los días a horas fijas. Gracias a la disposición de sus órganos –el poeta era impotente– había llegado a una sabiduría antigua. No conocía otros arrebatos que los que le inspiraban sus celos literarios normales dada su fama. Pero como él decía en privado:

–No conocí, ni conoceré nunca los arrebatos de la pasión, ni otros sentimientos animales. El poeta –añadía–, el artista debe saber describir y hacer sentir los deseos que no conoce.

Si no era el poeta más reputado de su país (a pesar de lo poco que había escrito) no le andaría muy lejos. En un referéndum efectuado entre poetas le faltó muy poco para conseguir un título monárquico encantador que ahora no recuerdo.

Hacía un año que, según su costumbre, fue a una casa de antiguallas situada en las afueras de la ciudad en busca del objeto o el cuadro raro que adornara algún rincón de su casa. Como era cliente antiguo de la casa, el propietario le otorgó su permiso para subir a uno de los sobrados para que allí, en solitario, encontrara la ganga.

De pronto se fijó en un maniquí que representaba una de las mujeres que figuran en el cuadro de El Bosco *El jardín de las delicias.* Con deleite observó que la muñeca, como la modelo del cuadro, tenía dos grandes cerezas sobre la cabeza y estaba desnuda. Examinó los ojos saltones, el cabello lacio, largo y rubio, exactamente como el del cuadro.

Giró en torno de ella y cuál no sería su sorpresa y su alegría al descubrir entre las nalgas dos grandes margaritas como otra de las figuras femeninas del cuadro.

Compró la muñeca, que era de tamaño humano, y la instaló en el salón de su casa. Al poco tiempo tomó la costumbre de hablar con ella, de enseñarle la casa, de acariciarla. Sus relaciones las definió como «una constante orgía espiritual». Todos notamos que incluso se olvidaba de su gato siamés.

Pasó casi un año y un día; hace de esto una semana, el poeta fue a ver a un amigo suyo que se titulaba «aprendiz de mago». Era un hombre afable y cachazudo del que nadie hubiera podido imaginar, al verle tan ausente de agresividad, que hubiera sido expulsado de la orden de Medicina. Esta expulsión acaeció un año después de terminar su carrera, por «prácticas esotéricas».

El poeta explicó a su amigo que acababa de releer *La bella durmiente del bosque*. Había llegado a la conclusión de que el beso del príncipe que resucitó a la princesa no era una imagen literaria. Según él había algo más; precisamente el calor interior que se desprendió de esta unión era el que había dado la vida a la muerta.

–Es una interpretación plausible –dijo el «aprendiz de mago»– que corrobora la necrofilia que siempre había creído ver en ese cuento.

El poeta afirmó que él podría infundir la vida a su adorada muñeca de la misma manera. Pidió a su amigo que le diera la fecundidad.

–Hace tiempo que te había hablado de mi procedimiento. Recordarás mis palabras, se trata de una hipótesis de trabajo. Tengo esperanzas pero no puedo asegurar que mi método sea el bueno. Y, sobre todo, nunca lo he experimentado. Te confieso que tendría demasiada aprensión de ensayarlo contigo. Puede ser peligroso.

El poeta aceptó todos los riesgos. No hubo manera humana de disuadirle.

El «aprendiz de mago» no tuvo más remedio que someterle a su sistema. En un ambiente de tensión que duró varias horas, recostado desnudo, el poeta, sobre la camilla, sufrió la operación. Su amigo le aplicó una serie de ungüentos a la vez que decía frases más o menos coherentes. Por fin exclamó:

–¡Ahora!

–Es maravilloso, maravilloso, maravilloso –dijo el poeta.

–¿Pero es que «eso» no termina?

–No, sigue. Es maravilloso, maravilloso.

Transcurrieron varios minutos. El poeta como en éxtasis seguía repitiendo «maravilloso, maravilloso». Inquieto, el ex doctor le preguntó:

–¡Pero, no es posible! ¿Qué sientes aún?

–Un placer inacabable –dijo con la voz entrecortada por la emoción el poeta–, un placer que no se termina.

–Me temo que he fracasado –comentó su amigo.

LABERINTO DECIMOCUARTO

LAS SERPIENTES

La serpiente de cabeza de perro miraba de un lado para otro, parecía que incluso iba a ladrar. A su lado la serpiente de cabeza de gato dormía, quizá aguzando el oído se hubiera oído el ronronear.

Un día que crucé una famosa actriz de cine vi su cabellera compuesta de serpientes enmarañadas. A veces al contemplarme en el espejo se me antojaba que mi cara tenía un no sé qué de serpiente encantador... Reconocía que era tan sólo una prueba de optimismo por mi parte y que en mi rostro no había nada que recordara una serpiente.

Cundieron rumores –que yo no creí ni un momento– de que la serpiente-león que estaba encerrada en un aquarium abandonado era peligrosa. Por el contrario, los niños iban a verla los jueves por la tarde y la serpiente-león retozaba solitaria y feliz; en ocasiones se diría que quería hablar con los niños. Y éstos le cantaban canciones dando palmadas:

Cu-cu, cantaba la rana,
cu-cu, debajo del agua,
cu-cu, pasó un caballero,
cu-cu, de capa y sombrero,
cu-cu, pasó una señora,
cu-cu, con falda de cola,
cu-cu, pasó una criada,
cu-cu, llevando ensalada,
cu-cu, pasó un marinero,
cu-cu, vendiendo romero,
cu-cu, le pidió un ramito,
cu-cu, no le quiso dar,
cu-cu, se metió en el agua,
cu-cu, se echó a revolcar.

Para distraerla, los niños jugaban con boliches-serpiente-amaestrada y era de ver a la serpiente-león siguiendo el movimiento, como un «enorme gato». Los niños lanzaban la cabeza de la serpiente-boliche al aire que debía entrar al caer dentro de la cola. ¡Qué sencillo era jugar con serpientes amaestradas!

Luego las mesas comenzaron a tener patas de serpiente y las sillas también y hasta las camas lucían baldaquines barrocos hechos de serpientes. ¡Había que oír los bulos!, que si las serpientes nos traían las reglas de la memoria, que si las serpientes esto, que si las serpientes lo otro.

La ciudad se fue volviendo de un color entre gris y verde que a mí personalmente me fascinaba; por el contrario, las serpientes se tornaban abigarradas, sus cuerpos semejaban arcos iris vivientes. En el comedor daba gusto verlas moteadas de colorines mientras comíamos en platos grises, con servilletas verdes, alimentos de colores semejantes. En mi casa vivían entonces varias docenas de serpientes rosa, azul claro, rojiblancas y de todos los colores.

¡Cuántas veces me miraba al espejo con la loca esperanza de parecerme a ellas! Y yo no era el único. No era difícil sorprender a los habitantes de la ciudad contemplando detenidamente su faz en una luna con esperanza insensata de ser una bella serpiente multicolor.

Llegó un día en que la ciudad se llenó de objetos-serpientes. Había serpientes-ataúd, serpientes-piedra, serpientes-reloj, amén de las ya conocidas.

Como era de suponer, pronto las ideas abstractas también se volvieron serpientes. Las especulaciones mentales quedaron considerablemente facilitadas gracias a las serpientes-ideas, a las serpientes-facultades. Qué sencillo era, por fin, distinguir el amor del odio, el bien del mal, lo limpio de lo sucio, la generosidad del egoísmo. Pronto la mentira resultó imposible, la adulación grotesca, la estafa..., todo quedaba desenmascarado inmediatamente.

Las serpientes-ideas tomaron los colores más diversos mientras nuestro pensamiento se iba volviendo de un gris uniforme.

Estaba un día en La Florida oyendo las canciones de los niños. Era feliz recostado sobre un banco, respirando el aire puro del parque. De pronto oí una voz femenina que me llamaba. Me volví. Era ella, mucho más bonita que las demás mujeres. No era ni grisácea ni verdosa, era blanca y sonrosada. Tenía labios rojos, ojos azules, cabellera rubia, pechos redondos y firmes, cintura estrecha, caderas onduladas... Me dijo:

–¡Come esta manzana!

Luego añadió una promesa que ni logré comprender ni me interesó. La manzana me pareció tan apetitosa que a pesar de haber acabado de desayunar la mordí. Y desde entonces aquí me encuentro sin las serpientes.

LABERINTO DECIMOQUINTO

EL GALLARDETE

Llevaba un gallardete que lucía una rana en el centro. No podía distinguir el color desde donde estaba. El asta del gallardete era un tridente: lo llevaba al hombro de una manera desgarbada. El hombre parecía un coloso achaparrado y hasta un tanto encorvado. Estaba cubierto de pelos.

Vi a este hombre al atardecer y por la noche al soñar inventé la señorita del tiempo, la noche siguiente inventé la muerte por sí misma y la tercera noche la tentación del espejo.

Aunque sólo vi a aquel hombre una vez, me dejó un recuerdo indeleble. Aún no he olvidado su gallardete y sus uñas caireladas de mugre. Los dedos de los pies los tenía unidos como la palma de un pato. No pude saber si tenía dos cuernos sobre la cabeza o mechones de pelos rebeldes. Sus orejas eran largas y puntiagudas. Su barba desaseada no ocultaba una boca descomunal.

Todas las noches inventaba durmiendo. Los inventos se fueron precisando, se hacían útiles: inventé el reloj que escribe poemas, la sustancia para petrificar la esperanza, el ritmo que despierta la voluntad, la paloma que trae los recuerdos olvidados, el teléfono para llamar a los muertos.

No podía borrar de mi mente la imagen de aquel hombre del tridente y el gallardete. Con la mano izquierda acariciaba un macho cabrío de luengas barbas y dos gruesos cuernos en forma casi circular.

Dejé de inventar por las noches. El insomnio se apoderó de mí de tal manera que pasaron días y días sin que pudiera dormir. Y lamentaba no poder soñar e inventar.

Recordé que el hombre con la cabra, al desaparecer, me había dicho:

–El sacrificio del joven de buen humor servirá al ojo del maestro.

No lograba dormir, pero era feliz pensando que una noche me caería de sueño y entonces inventaría la máquina para dormir.

LABERINTO DECIMOSEXTO

Cinco sellos

Al abrir la puerta me encontré con que el nuevo cartero llevaba una venda sobre los ojos y un traje como de prestidigitador. Me tendió una carta. El sobre lucía cinco sellos: el primero representaba una oreja, el segundo una mano, el tercero un pie, el cuarto un ojo y el quinto una nariz. Cada uno de estos miembros aparecía en el dibujo, incrustado en una piedra.

Una hora después, al pasar por el palacio, observé que los obreros estaban instalando un bajorrelieve. Se trataba de cinco porciones que reproducían los cinco dibujos de los sellos. Las esculturas eran perfectas, de tal manera que tanto la mano, como el pie, como la oreja, el ojo y la nariz parecían realmente humanos. Cada uno estaba apoyado sobre una piedra que le servía de pedestal. Los cinco motivos estaban enmarcados de tal manera que diríase que cinco cajas de madera les sostenían.

Al llegar al parque, los niños en derredor jugaban a contarse acertijos:

> En los pies tengo dos ojos
> dos puntos en la cabeza;
> para hacerme trabajar
> los ojos me han de tapar.

Se presentó un nuevo cartero. (Me pregunté cómo había adivinado que estaba en el parque.) Me alargó un paquete voluminoso y pesado. Me fijé mejor en él: seguía con la venda sobre los ojos que aparentemente no le impedía ver. Llevaba una camisa almidonada, una corbata blanca y un frac impecable.

Los niños no cesaban de contarse acertijos; mientras un grupo gritó «tijeras», una niña con dos trencitas tiesas y una saya muy corta dijo:

> Un bichito muy ligero
> que anda por tierra preciosa
> y en cada parada que hace
> deja sembrada una rosa.

Y los niños gritaban «la pulga».

Al volver a casa y abrir el paquete, comprobé que contenía cinco cajitas de madera; en cada una de ellas, un trozo de piedra. Para que reprodujeran los bajorrelieves de la fachada del palacio tan sólo faltaban los miembros humanos sobre ellas.

Llamaron a la puerta, era el cartero con la consabida venda sobre los ojos. Esta vez lucía una rosa en el ojal de la chaqueta. Pero lo más chocante era el alfanje que llevaba al cinto.

No pude cortarle el paso. Sin pizca de vergüenza se sentó en una butaca del salón. No decía nada, se conformaba con juguetear con sus dedos.

Le examiné con detalle. Temía que me acometiera con el alfanje. Llevaba un aro de plata en la oreja con una palabra escrita en filigrana: DESTINO.

La situación era la siguiente: un par de individuos –el cartero y yo– en una habitación solos y callados se miraban con desconfianza. Por fin me decidí a entablar conversación:

–Sabe, a estas horas suelo acostarme.

–¡Quiere que me vaya!

Se levantó muy dignamente sin que por lo visto mi manera diplomática de echarle le hubiera agraviado. Se acercó a mí y me tomó las manos; la sorpresa me cortó todo reflejo. Luego me besó la palma de ellas con respeto. Se fue.

Había olvidado el alfanje. Me asomé a la ventana para buscarle, pero ya se había desvanecido en la oscuridad de la noche.

A la mañana siguiente un nuevo cartero me trajo una carta con cinco sellos que parecían reproducir los mismos motivos de la última. Había una leve transformación. En el sello de la oreja colgaba de ésta un aro de plata con una palabra escrita en filigrana: DESTINO.

Entonces fue cuando comprobé que el alfanje estaba cubierto de sangre fresca como mis manos.

LABERINTO DECIMOSÉPTIMO

EL VELO DE LA BELLA

La mujer estaba subida en una plataforma redonda, que parecía un gran plato. Casi se había hincado de rodillas pero en una postura airosa. Varios hombres con golilla formaban un corro en torno a ella, por tierra. A pesar de lo alta que estaba la plataforma, los hombres daban lentos saltos hasta la cara de ella y con los labios le rozaban la mejilla.

Hasta la noche, como un ballet, los hombres con golilla saltaron lentamente de tal manera que cualquiera hubiera asegurado que volaban. La mujer sobre la plataforma, a pesar de estar desnuda, tenía una actitud bastante púdica que no excluía una gracia natural. Una cinta verde rodeaba su tobillo derecho.

La mujer me miraba de hito en hito sin ninguna coquetería. Estaba radiante de belleza, con una mano sobre el pecho; ocultando su pubis, una rodilla. Tenía la impresión de que me pedía que saltara.

Probé; no sé por qué pensé que podría imitar a los hombres con golilla. Brinqué rápidamente, me desplomé sobre el suelo sin haberme elevado apenas. Y sin embargo había algo en mí que se diría había volado hasta la mejilla de la bella.

Por la noche, en mi habitación, al apagar la luz la vi a los pies de la cama. Tenía la cinta verde en el tobillo. Su único traje era un velo tenue, un velo casi etéreo, como de humo blanco o de viento. El velo le cubría el cabello, la cabeza y todo el cuerpo. Era totalmente transparente y tan sutil que no la tapaba en absoluto.

Me miró con la misma insistencia que cuando estaba en la plataforma. Levantó ligeramente su mano. No sé lo que me dijo. Sin embargo, le respondí. Pero no oí mis palabras ni supe nunca lo que le dije.

Durante unos minutos entablamos un diálogo que soy incapaz de transcribir ya que no lograba oírla de puro aturdido. Cuando le contestaba creía que era otra persona la que le respondía por mí. Y semejante diálogo duró largo rato.

A la mañana siguiente, al llegar al jardín, la volví a ver subida en su plataforma con sus galanes rodeándola. Esta vez no me contenté con mirarla desde lejos. Me acerqué. Puse una escalera, trepé por ella hasta la altura de la cara de la bella y le rocé la mejilla con mis labios. Al ir a bajar me dejé caer desde lo alto de la escalera, tan despacio, que se hubiera dicho que volaba.

La noche siguiente también recibí su visita. De nuevo entablamos otro diálogo «ausente». Tras los primeros instantes de turbación recobré el sentido. Pugné por oírla; la oí y me «oí». Discutimos de la batalla del fuego y del agua con serenidad. Yo aducía argumentos que nunca se me hubieran ocurrido, que me parecían extraños, e incluso le citaba textos desconocidos con aplomo.

A la mañana siguiente al mirarme en el espejo tuve la impresión de que, como a ella, un velo etéreo me cubría todo el cuerpo. Para colmo de coincidencia en mi tobillo también había una cinta verde. Hice un ensayo y vi que volaba como los hombres de la golilla.

Fui al jardín y la volví a ver sobre la plataforma, rodeada como de costumbre.

Me quité la cinta; y el velo que me cubría se separó de mí; luego quité la cinta del tobillo de la bella y su velo también se separó de su cuerpo.

Y vi cómo ambos velos se iban volando hacia el horizonte, como una pareja abrazada, hasta perderse en lontananza.

LABERINTO DECIMOCTAVO

EL PERRO DE G.

En la acera encontré un pequeña porción del tamaño de un caramelo y de color verdoso. Lo cogí entre mis dedos: era un cerebro humano increíblemente diminuto y que parecía «respirar».

No respiraba; palpitaba acompasadamente. Lo contemplé jubiloso. Creí notar que vivía en la planta de mi mano.

Alguien había observado el espectáculo. Un perro. La cabeza emergía de la tapia, hasta el cuello, con un aire de tristeza infinita. Me miraba, o miraba el cerebro, con un dolor humano. Sólo más tarde me di cuenta de qué perro era.

Cuando tomé el cerebrito en mi mano una mancha húmeda quedó en el suelo. Me aproximé para contemplarla: era una mancha oscura. Metí el dedo en ella y lo observé: era sangre. Con mi pañuelo limpié la diminuta mancha, y mientras hacía este ademán tenía la impresión de ser yo el que había ensuciado la acera.

Metí el cerebro en una cajita de cerillas adornada con una flor amarilla, que introduje en uno de los bolsillos del chaleco. El perro no cesó ni un momento de mirarme, sin cambiar de posición.

Cuando llegué a casa no sé por qué le oculté el descubrimiento. Mientras cenamos un perro ladró lastimeramente, pero con tal ahínco que casi era cómico. Ella pasó la cena hablándome de Goya, que, según ella, «es el maestro de la confusión y del pánico». Cuando me preguntó: «¿Qué podemos hacer?», no sabía que aludía al perro. Luego precisó:

–¿Qué podemos hacer para calmar al perro?

Me explicó que era un perro muy antojadizo y como no se le dieran unos sesitos, se pasaría la noche dándonos la «tabarra». A pesar de que empleaba semejante término comprendí que estaba preocupada.

Me precipité; no reflexioné suficientemente en las consecuencias, el caso es que le tendí el cerebrito que había encontrado. Ella salió de la habitación ufana.

Oí cómo llamaba al perro y le decía:

–Toma, amor mío.

Aún añadió «cuánto le gustan a mi niño los sesitos». Oí también cómo el perro los devoraba.

En ese momento me miré en el espejo y observé que en el centro de mi frente había un pequeño agujero con una mancha verde alrededor. Lo miré con cuidado: el interior estaba vacío.

Tomé un lapicero y lo introduje por el orificio; en efecto, tenía la cabeza vacía. Tan sólo me parecía notar un cuerpo que correteaba dentro. Un cuerpo con vida propia.

Para saber a qué atenerme permanecí inmóvil largo rato frente al espejo.

A los pocos minutos asomó por el agujero la minúscula cabeza del perro que me miraba como momentos antes en la acera, con la misma mirada del famoso dibujo de Goya.

CAPÍTULO TERCERO

LA GLORIETA

Cuando salí de nuevo a la glorieta, un rebaño de cabras jugueteaba en torno al monumento de la giganta. Cada una llevaba un huevo en la punta del morro y jugaban con él como sólo creía que sabían hacerlo las focas de los circos. Algunas de las cabras poseían una bella piel roja; otras, en la punta de los cuernos, bolas de oro.

Alrededor del globo, los soldados y la orquesta del monarca se agolpaban. Se cambiaban los trajes, lo cual daba origen a toda clase de contorsiones graciosas y parecía un festival de falsa vergüenza. La gente celebraba mucho esta comedia y los jiferos gritaban frases del peor gusto.

El monarca, muy digno, rajó el último de los balones del globo. Se escaparon de él miles de gatos que se pusieron a corretear por la plaza y a maullar de tal manera que más parecían pájaros piando.

Recuerdo que hacía dos días, estando la plaza vacía, eran las diez de la mañana, la giganta yacía sobre el pedestal tumbada y espatarrada. Cuando dio la última campanada de las diez, comenzaron a salir niños de entre sus piernas. Era sobrecogedor ver salir criaturitas de carne y hueso de entre sus piernas de mármol.

¡Eran tan pequeños los niños, que andaban a gatas! Muchos se cayeron del pedestal y se estrellaron contra el suelo. A los que se quedaron los recogieron los astrónomos con chuzos y los metieron en una especie de obús grandioso. Con ayuda de un cañón –que había tomado por un telescopio– dispararon a los niños. El obús se perdió en el cielo. Y sólo mucho más tarde comenzaron a caer páginas de un libro del firmamento.

Luego fueron las niñas las que rompieron a cantar y hacer el corro en torno al pedestal. Todas llevaban unas trencitas muy monas y las falditas muy cortas. Se daban la mano:

Nunca compres mula coja
pensando que sanará
pues si las sanas cojean
las cojas ¿qué es lo que harán?

Los gatos eran ya del tamaño de oseznos. Las niñas se subían encima de ellos y correteaban en torno a la plaza. Y se gritaban:

Acertijo:
Una arquita muy chiquita
blanquita como la cal;
todos la saben abrir,
nadie la sabe cerrar.

Y reían a carcajadas y se atropellaban, y caían de los gatos. Una de ellas sacó un huevo de su bolsillo entre las risotadas de sus amigas, y lo estrelló en la cabeza de un rorro que lloraba.

Los peregrinos reían también mientras se quitaban las pulgas de los jerseys con agujas. Otros ponían sus ofrendas a la giganta envueltas en papel de periódico. La grasa se almacenaba (y las migas y la mugre) en torno al pedestal.

Y otra niña dijo:

Acertijo:
Campo blanco,
flores negras
un arado
cinco bueyes.

Y sus amiguitas se abalanzaban sobre ella y le tiraban de las trenzas. Y la niña se puso a escribir y señaló el papel, las letras, la pluma, los dedos. Todos rieron, hasta el niño llorón. Parecía que la giganta compartía la hilaridad general. Claro que sólo podía ser un efecto óptico, distinguía muy bien el mármol de su cara.

Me fijé en sus manos de mármol: un dedo parecía señalar un lugar de la glorieta. En efecto, uno de sus dedos apuntaba hacia un arco medio derruido que ponía:

MI BIOGRAFÍA

Con facilidad entré y vi:

MI BIOGRAFÍA

a) Nacimiento

Nací en una habitación espaciosa y algo cochambrosa. Mi padre siempre se empeñó en decir que yo había venido al mundo por el cerebro de mi madre.

El día de mi nacimiento me colocaron sobre un carro del que tiraban una cabra y una pantera. La cabra tenía un aire diabólico y a veces, al parecer, sonreía. Llevaba bolas de oro en la punta de los cuernos y sus pezuñas también eran de oro. La pantera sostenía sobre la cabeza un capuchón con dos orificios para los ojos.

En cuanto nací, mi padre me puso una corona sobre la cabeza, un cetro entre las manos y una capa. Luego mi padre, que era ciego, se puso, en el centro de la habitación, a tañer el arpa.

Dos hijas del vecino cantaron en mi honor:

Duérmete, niño mío,
que viene el coco

y se lleva a los niños
que duermen poco.

Duérmete, vida mía,
duérmete sin pena
que al pie de la cuna
tu padre vela.

Me dieron tres vueltas a la habitación en el carro tirado por la cabra y la pantera. Mientras mi padre tocaba el arpa, mi madre sonreía plácidamente.

Cuando el carro terminó sus tres vueltas, mi padre hizo ejercicios de equilibrio sobre un taburete. Mi madre, que tenía las manos encadenadas, sonrió con dulzura.

Al parecer en este momento rompí a llorar. La cabra y la pantera me lamieron las manos para aliviarme. Mi madre comentó:

–Que la memoria permita dormir al niño.

Y mi padre repitió la misma frase aunque de una manera ligeramente trastocada. En realidad sólo repitió el tono y nadie pudo asegurar que no había dicho una frase contraria a la de mi madre.

Mi padre, a tientas, se acercó a mí y me besó primero en la frente, después en el bajo vientre, luego en las manos, también en el pecho y por fin en la planta de los pies. Luego me trabó las manos con unos grillos de plata. Al parecer, yo sonreí en este momento.

Mi padre tocó de nuevo el arpa y mi madre sonrió de nuevo. Entonces fue cuando lloré por segunda vez; la cabra y la pantera me lamieron las manos y mi madre comentó:

–Que el azar respete los símbolos que mi niño elija.

Esta vez mi padre transformó la frase descaradamente, dijo:

–Que el bazar coteje las tómbolas que mi niño exija.

Cuando la ceremonia hubo terminado mi padre y mi madre se acomodaron sobre la cama para comer. Era una cama barroca recamada con dorados y sedas. Comieron alimentos particularmente pringosos, envueltos en papel de periódico. Las migas rodaron por las sábanas. Se limpiaban las mejillas en las cortinas de seda. Reían felices. Y cuando yo lloré por tercera vez, mi madre dijo:

–Hoy ha nacido y ya ha llegado al conocimiento.

MI BIOGRAFÍA

b) Amor

En aquel tiempo, cuando yo decía a la montaña que se moviera, la montaña se movía, cuando pedía al río que remontara su curso, el río lo hacía, cuando pedía a los peces que volaran, los peces salían del agua y se echaban a volar.

Entonces sólo podía tener calor o frío y nunca estaba templado. Ocurría muy a menudo que tenía mi corazón en un huevo y que al meterme en el agua no me mojaba.

Podía ver mis manos de piedra, mi cabeza de agua y mis piernas de azogue. Las puertas no daban a ningún lugar y mi sangre se ponía a temblar ella sola.

De pronto todo era azul, y de pronto todo era negro, y de pronto todo era verde, y de pronto todo era gris, y de pronto todo era blanco, y luego granate, y luego de miles de colores, y luego invisible. Y sentía que mi cuerpo volaba o se estremecía.

Mil manos pasaban por mi cara y también por

mi cuerpo. Y se diría que me acariciaban por dentro. No tenía necesidad de soñar, ni de pensar siquiera. Y mi habitación se llenaba de mar y las olas iban y venían.

Cuando fumaba en mi pipa el humo salía rojo, y su pañuelo se llenaba de sangre. Y me olvidaba a menudo de que existía y era necesario repetirme y deletrearme mi nombre y mi domicilio.

Y cuando encontraba su cara en el espejo todo el espejo se llenaba de ella. Y yo era ella y sus dedos eran mis dedos.

Entonces fue cuando ella y yo nos encerramos solos y juntos, temblando en la oscuridad esperando la pesadilla.

MI BIOGRAFÍA

c) ARTE

La memoria presidía. A su derecha su hija la Pintura, a su izquierda Jir-Hon-Eya.

Los caballos daban vueltas a rienda suelta. Los jinetes multicolores les gritaban y se percibía el vaivén de las fustas. Por momentos todo formaba una nube polvorienta.

En las gradas se agitaban los estandartes. Los locos mientras tanto creaban la superficie negriblanca, a lo lejos se divisaban las torres.

Al concentrar la mirada pude ver que sólo había dos caballos: uno negro y otro blanco. La reina Mariana vestida de negro reía. Ocho infantes negros la escoltaban mientras el rey acariciaba a su cocodrilo amaestrado.

Sólo más tarde me di cuenta de que los caballos corrían solos, ningún jinete les guiaba. Se diría que ellos mismos se jaleaban y se pegaban con los látigos. No eran dos caballos como había supuesto; eran cuatro: dos negros y dos blancos.

En las gradas los ocho infantes negros de la reina Mariana y los ocho infantes blancos de la Pintura agitaban sus pañuelos. Luego construyeron una alambrada en torno a los príncipes.

Los locos terminaron de construir la superficie de sesenta y cuatro escaques negros y blancos. Discutieron entre sí lanzándose refranes:

LOCO PRIMERO.– Tiempo ni hora, se atan con soga.

LOCO SEGUNDO. (*Furioso.*)– Más sabe el loco en su casa que el cuerdo en la ajena.

LOCO PRIMERO.– Día de mucho, víspera de nada.

LOCO TERCERO. (*Conciliador.*)– La carne pone carne, el pan pone panza, y el vino guía la danza.

LOCO CUARTO. (*Socarrón.*)– El pan con ojos, el queso ciego y el vino añejo.

LOCO SEGUNDO. (*En cólera, gritando.*)– Quien canta en viernes, llora en domingo.

Etcétera.

Durante la última vuelta apenas si se distinguían los caballos. Sólo la nube de polvo formaba una masa visible. De pronto la nube se detuvo: era una esfera.

Los ocho infantes negros y los ocho blancos –quizá sólo fueran peones–, los cuatro locos (¿pero no eran obispos o alfiles?), las cuatro torres, los cuatro caballos, las dos reinas y los dos reyes entraron en la esfera.

La esfera voló arrastrada por el viento. Y pronto la sangre del pintor salpicó a los espectadores.

Después de la ceremonia todos felicitaron a la Pintura (arrebujada en su manto dorado marcado por el león Eurípides) y a Jir-Hon-Eya, mago, y gran sacerdote de este arte.

MI BIOGRAFÍA

d) Anatomía

Cuando ella vino a casa le enseñé el cuadro *Mi anatomía explicada* y se lo fui comentando:

«En el centro del cuadro mi retrato de cuerpo entero. Las dos columnas de cada lado están divididas en siete imágenes que representan los catorce símbolos de mi anatomía.

»Mi cabeza la simboliza un acorazado en una jaula, mi cerebro una colmena en la que aparece la cabeza de un hombre con sombrero de copa, mis ojos un sol y un baúl mundo y mis oídos media cabeza nadando en la que están escritas las palabras "Mens, intellectus, ratio".

»A mis pies se yergue un dragón con siete cabezas de lobo y un cetro. Este dragón tiene alas. Hay una abertura en mi cuerpo que va del cuello a la entrepierna pasando por las caderas, como una gigantesca llaga que deja ver mi corazón, mis intestinos y otros órganos.

»Mi pecho está representado por el Coloso de

Tebas que lleva inscrito mi nombre, mi sexo por la terraza almenada de un castillo sobre la que flota un gran huevo, mi hígado por un teléfono con un feto en el receptor, mis intestinos por una cabeza de toro y un cáliz con tres víboras y, por sorprendente que pueda parecer, mi corazón está simbolizado por un corazón encadenado con un sombrero hongo encima.

»Estoy en una habitación medieval, con una arquería de columnas. En el fondo se columbra un paisaje con iglesias góticas. El suelo es de baldosines geométricamente adornados.

»Mis pies están representados por un centauro y un animal mitad gato, mitad pez, mis manos por la tierra junto a hombre colgado por los pies, mis piernas por un caballo de ajedrez en medio de un campo, mis brazos por dos dedos traspasados por una saeta y mi ombligo por una balanza con ojos y relojes en los platillos.

»Mi cara luce un collar de barba y finjo indiferencia a los catorce símbolos. Tengo un gesto adusto y mi mano derecha está cerca de la boca casi como si fuera a llevar una pipa».

Cuando terminé la explicación, ella me preguntó:

–¿No ves que el cuadro de que me hablas es tan sólo un espejo?

CAPÍTULO CUARTO

LA GLORIETA

Cuando salí de MI BIOGRAFÍA, en la glorieta, señoreada por el monumento de la giganta de mármol, sólo había una mesita con un tablero de ajedrez y dos sillas. En una de ellas me senté y coloqué las fichas sobre el tablero.

Miré a la giganta. Nuevas posibilidades aparecieron: a pesar de su hieratismo, de su aspecto pétreo, parecía que era de carne y hueso. A no ser que se tratara de una imagen proyectada, de un espejismo. Es posible que evolucionara imperceptiblemente sin que se pudiera ver nunca el instante de la metamorfosis.

Al poco rato dos hombres medio borrachos colocaron una cuba de vino frente a mí, cantaban:

> Cuando se emborracha un pobre,
> todos dicen ¡borrachón!
> Cuando se emborracha un rico,
> ¡qué alegrito va el señor!

Estaban desaliñados y manchados de vino. Gastaban largos gabanes usados. Una vez que hubieron depositado la cuba junto a la mesa, se dedicaron a beber como animales el vino de ella. Subían la cabeza dentro y sólo se veían las burbujas que estallaban. Luego sacaban las cabezas y reían medio atontados, casi no se les entendía cuando se alejaron cantando:

> Gasta la tabernera
> pendientes de oro
> y el agua de la fuente
> lo paga todo.

De repente, de la cuba emergió una mano, luego una cabeza muy grande; la persona movió muy seriamente una de las fichas de ajedrez, al tiempo que decía:

–Peón cuatro rey.

Me puse a jugar con él. A la tercera jugada comentó:

–Alfil cinco caballo dama. Ruy López.

Empapado de vino, acomodado en un sentajo que quizá estuviera en el fondo de la cuba, mi contrincante jugaba con precisión; el vino le cubría hasta el pecho. De vez en cuando se metía dentro del líquido y buceaba. En ocasiones aun se derramaba vasos de vino sobre la cabeza.

Tal era la concentración que tenía que no me di cuenta de que la plaza se había atiborrado nuevamente de gente. Cuando levanté la cabeza me vi rodeado de niños subidos en los hombros de sus padres. Los comentarios eran increíblemente descarados.

Era feliz, iba ganando la partida; tenía preparada una combinación brillante que eliminaría el caballo de mi contrario y que me daría la victoria, cuando uno de los niños se subió sobre el tablero destrozándolo todo. Se puso a gritar:

–¡Soneto, soneto! So-ne-to Pe-ro-gru-llo.

La ovación fue clamorosa. La gente rugía «vi-va» no sé qué. El niño pregonó su soneto a voz en cuello; pero tan sólo logré captar el primer terceto, tal era el guirigay:

> Si la piden de noche le suplican
> a su letra le llaman la escritura
> y se rasca y se rasca si le pican.

La multitud deliraba de entusiasmo e intentaba besar los pies del niño. Un grupo lo tomó a hombros y lo llevó a los pies de la giganta.

En aquel momento mi rival me hizo una señal con el dedo para que le siguiera. Buceó en la cuba de vino. Sin pensar en más buceé tras él. En el fondo de la cuba encontramos una puerta que decía:

LABERINTOS - LABERINTO DECIMONONO

La atravesé solo, no sé dónde se había escondido mi contrincante, que desapareció como por escotillón. Y allí, en el laberinto, vi:

LABERINTO DECIMONONO

Los ojos

Al despertarme abrí los ojos, pero no vi ni el escarabajo de oro en su caja de cristal, ni la pipa sobre el velador, ni el cuadro que me representa montado a caballo y combatiendo (¿por o contra?) la memoria.

No veía nada. ¿Estaba ciego? Me incorporé sobre la cama, me apoyé sobre los almohadones y no distinguí ni la habitación ni la butaca, ni ella a mi vera esperándome como de costumbre. Volví la cabeza y no vi ni la puerta ni el balcón, ni el pequeño ataúd que contendrá mis cenizas, ni el gato, ni los libros.

Sentado sobre la cama, recostado contra los almohadones, permanecí vario tiempo inmóvil. No veía nada en absoluto.

Es decir, distinguía una especie de mancha grisácea atravesada por líneas irregulares y diminutas rojas. Concentré mi vista sobre este objeto y observé que podía alejarme o acercarme a él.

Decidí avanzar con la mirada, atravesé una piscina redonda donde chapoteaba un líquido negruzco. Llegué a la pared de enfrente que también era grisácea y rayada de líneas rojas onduladas.

Volví hacia atrás y me distraje cruzando varias veces la piscina; más bien era una esfera. Tenía miedo de aventurarme con la mirada, no sé por qué temía no saber volver al punto de partida, y que mi vista se perdiera para siempre en una región ignota.

Por ello juzgué lo más cuerdo marchar siempre en línea recta; salvé el obstáculo de la piscina y me encontré frente a una montaña blanca que parecía dividida en dos. Diríase una sierra blanda dividida en dos segmentos de esfera, estaba jaspeada de innumerables vetas negruzcas. Tuve la impresión de que me encontraba enfrente del fanatismo.

Seguí adelante; atravesé los montes, pero detrás se alzaba un muro infranqueable.

Bajo la piscina y las montañas había visto un oleoducto enorme que se dirigía hacia abajo. Procuré reprimir el miedo que me inspiraba y me interné por el tubo.

Entonces me di cuenta de lo que me ocurría: mi mirada ya no era capaz de ver lo que pasaba fuera, ahora sólo veía el interior de mi cuerpo. La piscina era el glóbulo ocular, las montañas mi cerebro y el oleoducto la tráquea.

Este descubrimiento me colmó de alegría; pasé horas enteras recorriendo mi cuerpo de arriba abajo, de izquierda a derecha, haciendo hallazgos, descubriendo por fin el símbolo de todos y cada uno de mis órganos.

Para no perderme en el dédalo de mis entrañas había señalado varios puntos de referencia, que me servían de señales para volver, para orientarme.

Tras salir del hígado había encontrado un tejido sonrosado rodeado de un nervio extraño. Rápidamente lo comprendí: dentro estaba mi alma. Radiante de satisfacción me disponía a atravesar el tejido para escudriñar mi alma cuando oí su voz:

–¿Pero qué haces con los ojos abiertos?

Sentí su mano sobre mi mejilla. Y vi el escarabajo de oro en su caja de cristal, la pipa sobre el velador, el cuadro que me representa.

LABERINTO VIGÉSIMO

LA GAVIOTA Y LAS GAVIOTAS

Nadie reía, nadie saltaba con las olas, nadie gastaba bromas, nadie jugaba con globos de colores, nadie nadaba, nadie agitaba los pies haciendo espuma. Ni siquiera los niños.

Todos permanecían en el agua a cierta distancia de la playa. Sólo se veían las cabezas, hieráticas, ceñudas. Los niños también parecían huraños.

Nadie hacía el muerto. Todos quedaban quietos aparentemente, aunque es posible que agitaran los pies para no hundirse.

En el horizonte se veían las nubes bajas. Una gaviota subida sobre un poste clavado algo apartado de la costa permanecía inmóvil como una estatua.

El color del mar era grisáceo; se iba volviendo verde a medida que se alejaba para convertirse en azul. Y sobre esta superficie ligeramente rizada por las olas sólo asomaban las cabezas de los nadadores bamboleándose y la gaviota sobre su poste.

Imaginaba que los bañistas llevaban trajes de colores, quizá las mujeres utilizaban el dos-piezas, los niños tal vez estaban desnuditos.

Pronto observé que todos me miraban con descaro con los ojos desmesuradamente abiertos. El mar fue aproximando a la playa los nadadores; la impertinencia de la mirada era casi tranquilizadora. Hasta los niños eran arrogantes. Y esta insistencia en mirarme terminó por agradarme.

La gaviota también clavaba en mí la mirada. Todo estaba, pues, en orden y todo hubiera acabado bien si no hubiera sido por un hombrecillo irascible que estaba sentado junto a mí. Leía un libro pringoso titulado *Las mujeres lo felicitan*. Comía bocadillo tras bocadillo, pasando las hojas del libro chupándose los dedos. Bebía botellas de coca-cola calientes que guardaba en las faldriqueras.

Desde que llegó procuró hacerse mi amigo; me regaló una imagen famosa: un ojo rajado por una navaja de barbero.

–¡Tenga, sé que usted es un artista!

Se levantó y se dirigió a los nadadores en estos términos:

–¿Cuándo van a dejar de mirar a mi amigo?

Quedé azorado de verle gritar de esa manera, de señalarme como amigo suyo.

–¿No ven que le importunan?

Los nadadores, inmóviles, no se interesaban por las imprecaciones del hombrecillo.

De pronto les echó una maldición que casi me sobrecogió:

–Merecen que los pájaros del cielo les coman los ojos.

Los nadadores, impasibles, se fueron acercando en silencio. Pronto estuvieron a unos metros, por fin una ola les echó sobre la arena.

No eran hombres, eran un centenar de cabezas colocadas sobre pies de corcho. Seguían mirándome, se trataba de cabezas «vivas».

La gaviota movió las alas y pió muy fuerte como un lamento. Inmediatamente un centenar de gaviotas aparecieron en la playa. Cayeron sobre las cabezas y vaciaron meticulosamente las órbitas mientras oía la risa estridente del viejo.

LABERINTO VIGÉSIMO PRIMERO

La cara

El día que perdí mi cara me desperté tranquilamente y sólo me di cuenta de su ausencia cuando vi mi faz reflejada sobre el cristal del balcón. Recuerdo que una emisora de radio afirmaba, mientras me contemplaba en el cristal, que frente a la playa, en el fondo del mar, se habían encontrado huellas humanas.

La pérdida de la cara me produjo una sensación difícil de definir y que se situaba en los arrabales de la fascinación, ¿qué iba a pasar? ¿Qué cara iba a tomar?

La primera idea que se me ocurrió fue la de labrarme yo mismo una cara ardiente, y mejor aún de fuego. Hice varios ensayos no demasiado malos. Logré crear una cara incandescente que fácilmente podía ocultar en público con un antifaz. Creo que daba a mi rostro un aire de masculinidad ligeramente en desuso que me encantaba. Mientras la retocaba, la radio dio buenas noticias en torno a las huellas encontradas en el fondo del mar; al parecer ante la afluencia de curiosos se había creado un servicio nocturno para visitar el sector. Añadieron que la nao se llamaba *La Memoria*. A continuación la radio nos obsequió con una copla:

> A la mar fui por naranjas
> cosa que la mar no tiene;
> toda vine mojadita
> de olas que van y vienen.

Una vez terminada la cara de fuego, vi junto a mí una cierva; es posible que fuera tan sólo una sombra de mi fantasía y, sin embargo, decidí buscarme otra cara.

Durante semanas cambiaba todos los días de cara: cara de gato, cara de Maimónides, cara de rayo, cara de Alicia en el país de las maravillas, cara de marinero, cara de Ramón Gómez de la Serna, cara de esfera, etc. Por curioso que parezca debo confesar que conforme el tiempo pasaba cada vez echaba más de menos mi antigua cara sin historia.

Una noche que estaba probándome una cara de agua la radio volvió a hablar de las huellas humanas en el fondo del mar. Sin pensarlo más fui hacia la playa. Por el camino pensé que la cara de agua me iba muy bien; la idea de adoptarla me la había sugerido un libro manuscrito antiguo en el que hablando de los «cinco» elementos daban la supremacía al agua «como elemento destructor por antonomasia».

En la playa estaban los marineros con su nao *La Memoria.* Me condujeron hasta altamar, desde allí me dejé caer en el fondo con una linterna en la mano.

En efecto, en el fondo había huellas de pies que iban y venían hacia una gruta submarina. Dentro de ella había una estancia; con estupor vi alineadas todas mis antiguas caras casi podridas por el agua, la de fuego ya completamente consumida. Y en el centro un gran espejo con una inscripción que rezaba: YO.

Salí de la cueva y comprobé que las huellas del fondo del mar eran mis propias huellas. En este momento oí una voz femenina que provenía de la gruta:

> Un marinerito, madre,
> me tiene robada el alma;
> si no me caso con él
> muero moza y llevo palma.

Volví a la gruta submarina ya convencido de que me hallaba en mi elemento.

LABERINTO VIGÉSIMO SEGUNDO

EL DILUVIO

Acodado en la ventana divisaba a lo lejos la playa desierta. Tomé la pipa y encendí una cerilla. Por más esfuerzos que hice no acertaba a alumbrar la pipa. Aspiraba y, nada. El filtro estaba impecable, la pipa «tiraba» pero no se encendía, no se podía fumar con ella. Comenzaba a lloviznar.

Llovió durante horas. Luego pareció que granizaba. En realidad caían objetos de las nubes, pero sin la violencia del granizo. Unos instantes después el espacio de la ventana se cubrió con esos objetos que bajaban acompasadamente, casi como un desfile lento. Salí a la calle para ver de qué objetos se trataba: eran diminutos ataúdes. ¡Llovía ataúdes!

Pronto el suelo se cubrió de diminutos féretros. Miré hacia lo alto y observé que todas las ventanas estaban floridas, todas tenían su pequeña corona funeraria.

A lo lejos, los altos edificios de la ciudad: de las fachadas pendían enormes colgaduras verticales alargadas negras y moradas con inscripciones doradas y plateadas que era imposible deletrear desde donde estaba.

A estas horas solía oír el estridente aparato automático de la playa que difundía sus melodías de moda. En aquel momento, sin embargo, tocaba una marcha fúnebre.

Seguían lloviendo diminutos ataúdes negros. Las campanas tocaban a muerte. Pasaron delante de mí siete perros revoltosos jugando y mordiéndose sus largas colas los unos a los otros. El aire trascendía a incienso.

No eran siete perros, sino siete dragones juguetones. Uno de ellos se plantó delante de mí y me miró fijamente. Luego se marchó con los seis restantes. Eran retozones y les vi perderse a lo lejos saltando unos encima de otros, empujando piedras y corriendo tras ellas.

Me fijé que en donde se había parado el dragón había una llavecita de plata fabulosamente pequeña. ¿La había dejado el dragón para mí? Fuera como fuere la guardé.

Seguían lloviendo ataúdes: la calle estaba cuajada, las campanas no cesaban de tocar a muerto y el aparato automático de pasar la marcha fúnebre. Reinaba un tufo sofocante a incienso.

Cogí uno de los ataúdes para ver qué venía dentro. No era mayor que una caja de cerillas. Me lo guardé en uno de los bolsillos del chaleco y volví a mi habitación.

Había dejado de llover. Por la ventana observé que la calle perdía sus ataúdes, que en un santiamén resbalaban hacia las alcantarillas; en poco tiempo no quedó ninguno. Y como por ensalmo las campanas dejaron de tocar y el aparato de tocar.

Coloqué el ataúd que había recogido sobre la mesa, junto a la llavecita de plata que me había dejado el dragón (?).

Intenté abrir el ataúd. Era imposible, a pesar de ser tan pequeño tenía una gran resistencia. Se presentaba a mis ojos como la reproducción exacta de uno auténtico: con su cerradura, sus cuatro empuñaduras de bronce, sus dorados barrocos.

Comprendí: la llave estaba destinada al ataúd. En efecto, lo abrí gracias a ella.

Dentro había una cajita de cristal y en el interior... ella, más bella que nunca, inmóvil, muerta, rodeada de flores.

Con la misma llavecita abrí la tapadera de la caja de cristal. Estaba radiante de belleza. Con cuidado dejé el ataúd sobre un gran dado de madera en el centro de la mesa, puse en torno a él seis velitas de pastel de cumpleaños. La miré embelesado.

Algo en mí, sin saber exactamente el qué, me sugirió que debería besarla «como a la bella durmiente del bosque». ¡Pero era tan diminuta!

Haciendo esfuerzos puse la punta de mis labios sobre su cara, por lo menos. Inmediatamente una sensación me «sobrecogió»; en unos segundos fui menguando, menguando, hasta ser del tamaño de ella..., pero seguía tan muerta como antes.

No preguntaba cómo había podido ocurrir semejante transformación; estaba dentro del ataúd, dentro aun de la caja de cristal, junto a ella, sobre ella. De pronto la tapadera de la caja de cristal se cerró de golpe. Quedé encerrado.

¿Quién me había encerrado? No tardé en encontrar la respuesta: detrás del cristal vi a los siete dragones que danzaban y reían mofándose de mí.

Pensé que más valía tomar las cosas con resignación. Precisamente, ¡oh, buena nueva!, allí estaba mi pipa, quise encenderla pero no pude. Aspiré, la pipa funcionaba correctamente. ¿Qué pasaba? ¡Tan distraído me había vuelto! Se me había olvidado echar el tabaco. La encendí con facilidad y al echar la primera bocanada de humo me vi apoyando la nariz contra el cristal de mi ventana observando cómo llovía.

LABERINTO VIGÉSIMO TERCERO

LOS ESPEJOS

Llegó por la tarde con sus cartas, con sus libros, con sus juegos, se sentó en una mecedora de la azotea y se dedicó a tomar el sol. Me senté frente a ella en una silla de mimbre.

Era una tarde soleada con una ligera brisa que traía el olor de mar. Un perro-lobo aullaba. Ella llevaba gafas de sol con lentes de espejo. No me atreví a volverla a mirar, pero una vez había bastado: mi cara se reflejó en sus anteojos, dos veces.

En ese momento dijo:

–La memoria se bifurca y el artista la multiplica.

Los rapaces de la calle cantaban:

Caballero generoso
échenos una peseta
que tenemos la barriga
como cañón de escopeta.

Y abucheaban a alguien, no quise asomarme a la ventana para conocer la víctima.

Al día siguiente, en cuanto entró, reparé en que de nuevo llevaba gafas de sol-espejos. No volví a mirar su cara. Nos sentamos en la terraza siguiendo nuestros ritos. Cuando mi vista recorrió su cuerpo desde el cuello, mi mirada se deslizó por el hombro hasta el brazo desnudo y después al antebrazo, la muñeca y los dedos. No sé por qué suponía que algo inquietante iba a ocurrir; en efecto, sus uñas que nunca llevaba pintadas, aquel día estaban adornadas por una laca brillante, mi cara se repitió diez veces en los diez espejuelos de sus uñas.

Dijo una frase que hacía alusión a la memoria y al azar y creo que añadió «mil veces entrecruzándose». Los revoltosos niños de los alrededores cantaban a grito pelado:

¡Qué bien canta la calandria!
¡Qué bien canta el ruiseñor!
Mejor canta una botella
en quitándole el tapón.

Al día siguiente, como hubiera podido prever, se presentó también con las uñas de los pies pintadas y brillantes reflejando una vez más diez veces mi figura. A medida que los días pasaron, su cuerpo lo iban invadiendo los espejos. Llegó un momento en que todo su cuerpo era un espejo destinado a reproducir mi imagen indefinidamente, deformándolo como si fuera un caleidoscopio.

Casi al mismo tiempo que se producía este fenómeno, el espejo del comedor, por el contrario, no reproducía mi imagen. Hice muchos experimentos; intenté sorprenderle, aparecer por casualidad. Inútil: el espejo reproducía la imagen de un individuo armado con una escopeta de caza, con una peseta de papel en el bolsillo y una calandria y un ruiseñor en el morral. Para mayor ironía este sujeto repetía todos mis gestos.

Una tarde en que estábamos bajo la sombrilla de la terraza quise sondearla. Quería llevarle poco a poco al tema que me preocupaba y sin embargo lo primero que salió de mi boca fue:

–¿Sabes que todo tu cuerpo es ahora un espejo?

–¿De veras?

Dijo, y siguió leyendo como si no me hubiera escuchado. Al anochecer pasó por el comedor antes de marcharse. Con su coquetería un poco torpe y tremendamente sensual se arregló la cara frente al espejo.

–¿Qué ves en el espejo? –le pregunté.

–¿Qué voy a ver? ¡Mi imagen!

–Yo, cuando me miro, veo un cazador.

–A ver, haz la prueba.

Me puse frente al espejo. Allí estaba el caballero cazador con su peseta y su calandria repitiendo mis gestos.

–Míralo cómo me imita.

Miró intrigada, después se quitó el zapato derecho y golpeó el espejo hasta romperlo con el tacón. El cazador salió corriendo y se perdió a lo lejos.

Me volví hacia ella, su cuerpo ya no era un espejo.

LABERINTO VIGÉSIMO CUARTO

El arquitecto

Corrió un rumor, que entonces juzgué absurdo, sobre el arquitecto: aseguraban que a la misma hora se le había visto en el auditórium asistiendo a la ceremonia del pacto y en el jardín del palacio, es decir, a casi tres kilómetros de distancia, mientras se desarrollaba la tragicomedia del Castigo de los adúlteros. Si había que creer a mis conciudadanos, el arquitecto había permanecido cerca de dos horas en ambos sitios al mismo tiempo con el mismo traje negro y con el mismo bastón de ébano, con mango de plata.

La ciudad había reaccionado por primera vez con cierta hostilidad hacia él. Hasta entonces todo el mundo se hacía lenguas de su juventud, de su belleza, de su competencia, de su seriedad, de su corrección.

Recuerdo que durante años se encerró en su casa sin relacionarse, al parecer, con otra persona que con su vieja sirvienta. En la ciudad se dijo que pasaba el día y la noche leyendo. Más de una vez se compadecían de él:

–Que un buen mozo como él se queme los ojos de esa manera por la lectura.

Uno de los ancianos más respetados sentenció:

–Terminará volviéndose loco y suicidándose, a esta clase de jóvenes brillantes les conozco muy bien.

Hace unos meses comenzó a vérsele en lugares concurridos, siempre correcto y con su inseparable bastón de ébano con mango de plata.

Tras el primer rumor fui precisamente yo quien hice un descubrimiento que no tenía vuelta de hoja: me paseaba solitario por los acantilados cuando le vi subido en un alto peñasco leyendo un libro que me pareció de poemas. Cuando regresé a la ciudad me aseguraron que había pasado la tarde en la terraza del café de la glorieta. Me daban precisiones; había bebido un café y un líquido verde.

Por la noche un amigo que venía de una ciudad distante de varios kilómetros me aseguró que había asistido a una función teatral, a la misma hora.

Días después la noticia estalló como una bomba: el arquitecto tenía el don de la ubicuidad. Tras la natural excitación y la irritación que produjo semejante noticia, la gente se fue acostumbrando a la nueva situación.

Sin sorpresa le veíamos, al pasearnos por el parque central, sentado en todos los bancos del parque hojeando libros dispares, u ocupando una silla de todos y cada uno de los palcos del teatro, o subiendo las escaleras del mausoleo infinitas veces sucesivas.

Pronto mis conciudadanos vieron de nuevo en él al muchacho serio y educado que todos apreciaban, su don de ubicuidad era considerado como una triste facultad que «más le hará sufrir que otra cosa».

Dos meses después cesó bruscamente el fenómeno. El arquitecto quedaba recluido en su casa con la puerta atrancada. Se amontonaban las botellas vacías en el umbral. Por la noche se recortaba su silueta sobre el fondo luminoso de las treinta ventanas de su caserón. Desgreñado, sucia la camisa, gesticulaba haciendo muecas y contorsiones que llenaban de pavor a sus vecinos.

Una mañana de abril apareció la ciudad sembrada de cadáveres idénticos. En la alameda del parque, en la escalinata de la biblioteca, en el asiento número 5 de la platea del teatro municipal, en el tejado del ayuntamiento sonreía un joven ahorcado vestido de negro. Bajo los primeros resplandores refulgían los mangos de plata de infinitos bastones de ébano.

LABERINTO VIGÉSIMO QUINTO

El torneo

Juntos asistimos al torneo. Ella llevaba una falda de seda y en su espalda lucía el emblema del ánfora dorada. Ocupábamos uno de los palcos. La gente, al verla, me pareció que la aclamaba e incluso es posible que gritaran:

–¡Nuestra reina, nuestra reina!

Repartió las cartas del Ave Fénix. La gente se las disputaba y hubo algunos conatos de pelea. Ella fumaba en una larga boquilla cigarrillos rubios. Antes de que comenzara el torneo una niña con una cofia y un ramo de flores se colocó en mitad del campo y dijo sin más preparativos:

–Acertijo.

Tras brevísima pausa, con voz casi velada por la emoción, añadió:

> –Dicen que soy rey
> y no tengo reino;
> dicen que soy rubio

y no tengo pelo;
afirman que ando
y no me meneo;
arreglo relojes
sin ser relojero.

El público rompió en aplausos. La niña sonreía y se tocaba la falda con insistencia. Luego cogió una camelia de su ramo, la besó, y la lanzó al público. La ovación fue clamorosa. La niña ya con más confianza, dijo:

Acertijo:
¿Qué cosa es esta cosa
que entra en el agua
y no se moja?
No es sol, ni luna
ni cosa ninguna:
grande cuando niña,
grande cuando vieja
y chica en la edad media...

Esta vez la recitación había sido muy rápida, tanto es así que casi resultó ininteligible. El público aplaudió con el mismo frenesí, no obstante.

La niña se retiró y en seguida entraron en el césped un galgo y un hombre vestido con un traje de guerrero medieval, pero su cabeza la adornaba un casco de rugby. Llevaba en la mano una cimitarra que esgrimía con suma dificultad.

Ella dio una palmada y la justa comenzó. Por momentos parecía que el galgo y el guerrero danzaban de pie. El galgo mordió en el cuello a su rival. Así unidos permanecieron largo rato, de pie el uno junto al otro.

El guerrero cayó al suelo y el galgo se inclinó hacia él sin vivacidad. Un grupo de las gradas comenzó a ulular:

–Má-ta-le, má-ta-le, má-ta-le.

El galgo lamió al guerrero hasta reanimarlo. Éste se incorporó y se quitó su atuendo bélico. Debajo de sus armas había un hombrecillo delicado con un sombrero y un abrigo negros y polvorientos. Se dirigió lentamente al centro y tocó al arpa una melodía que provocó el llanto de casi todas las espectadoras y muchos de sus acompañantes. Luego dijo, mientras el galgo se restregaba a él:

–Resultado: el sol y la sombra.

LABERINTO VIGÉSIMO SEXTO

EL GANGUINO

Junto a la playa tenía una cabaña en la que pasaba horas leyendo. Constaba de una sola habitación. Al parecer en su día había servido para guardar la ropa mientras la familia iba a bañarse. A pesar de su tamaño reducido, la habitación estaba siempre muy cuidada, «como una tacita de plata», quizá con una limpieza excesiva.

Desde el interior oía las olas del mar. El mobiliario de la cabaña era escueto pero no exento de un lujo apretado: una mesita, un par de sillas, un armarito. En un rincón, resto de la antigua misión del habitáculo, una jofaina y dos toallas. Lo más notable eran los cuatro grandiosos espejos que ocupaban las cuatro paredes de la cabaña.

Una mañana, al llegar, encontré en el suelo retozando un animal que era una mezcla atinada de merluza, lobo, pavo real y cabra. Se revolcaba feliz sobre las toallas que al parecer él mismo había instalado en el suelo. A pesar de que no me hizo ningún caso, noté que tenía una mirada que imaginé capaz de desgraciar a un niño, tal era la magia que había en ella.

Decidí hacer como que no le había visto; cada uno fuimos a lo nuestro, dedicándonos a nuestras ocupaciones: él a dormir y yo a leer.

Cuando, dejando de leer, levanté la mirada, vi que el espejo de la pared de enfrente no reflejaba la cabaña, sino que, a modo de vitrina, mostraba una habitación lujosa con columnas, cuadros clásicos en las paredes y una fuente en una hornacina.

Al día siguiente, al llegar, vi al animal retozando. Se trataba de un ganguino, animal de la sierra que pasa por ser mítico. Según la leyenda, quien mata un ganguino encuentra la fortuna.

Momentos después, como el día anterior, otro de los espejos de la pared reprodujo una habitación fabulosa que no supe si era un dormitorio o un salón de baile. En medio de cortinas del mejor tono había una cama aparatosa con baldaquines plateados, amén de un piano de cola rodeado de butacas tapizadas de terciopelo verde chillón.

Durante dos días se repitió el fenómeno hasta que los cuatro espejos de la chabola no reflejaban otra cosa que cuatro estancias rococó. A pesar de que sabía muy bien que no eran más que espejos, el efecto era tan fuerte que a veces hasta dudaba.

Al quinto día, al llegar una vez más, los espejos dejaban ver los cuatro cuartos «fantasmas». Pero me sorprendió no ver al ganguino.

Me senté a leer cuando oí un silbido que provenía de la derecha. En la estancia de la pared fantasma de enfrente estaba el ganguino abrevándose en la suntuosa fuente. Movía la cabeza, parecía que me llamaba.

Sin pensarlo más me dirigí hacia él. Cuando reflexioné en lo que había hecho, sentí sobre mis manos el frescor del agua de la suntuosa fuente.

LABERITO VIGÉSIMO SÉPTIMO

GRUPO O, RHESUS NEGATIVO

Se llamaba Lajos Forintos y nunca había querido utilizar el título de su famoso abuelo, y no porque estuviera en contra de la nobleza. Pero nadie ignoraba que era Conde. Le conocí una noche en que estaba en la playa acompañando a una chica negra muy bella que llevaba un traje de baño estricto de dos cuerpos. Él ofrecía el pecho al aire y vestía un pantalón crema largo. Gastaba gafas de sol.

Era «un buen mozo», «un chico bien parecido», tan sólo unos colmillos demasiado desarrollados afeaban algo su sonrisa.

Daba gusto verle nadar. Era capaz de hacer los cien metros en cincuenta y siete segundos y lo que no hubiera podido conseguir si hubiera dejado de fumar dos cajetillas de tabaco rubio por día.

Tenía mucho duende bailando danzas modernas. Practicaba la «vida moderna» sin fanatismo pero con una facilidad que hacía el secreto de su confort. Rechazaba el romanticismo en cualquiera de sus formas.

A pesar de sus relaciones y de sus posibilidades había elegido un trabajo inesperado: enfermero de noche en el Hospital Central. Este centro era uno de los mejores que existían por entonces, si no el mejor; construido siguiendo los perfeccionamientos mejores de la época. Un trabajo como el de enfermero en este hospital quizá le garantizaba practicar uno de sus postulados favoritos:

–Odio la aventura.

Cuando me dio el ataque de apendicitis me trasladaron al Hospital Central. La operación no tuvo demasiadas dificultades. Días después ya estaba en pie; por exceso de celo profesional, digo yo, los cirujanos me guardaron aún unos días en observación.

Me sentía la mar de bien. Una noche decidí ir a ver a mi amigo. No estaba en la sala de enfermeros. Le busqué por el primer piso sin éxito. Al abrir una de las puertas de la planta baja le vi. No sé por qué no dije nada; le observé sin que me viera.

Abrió varias puertas herméticamente cerradas, ¿eran neveras? En los estantes corrían filas de frascos de sangre con etiquetas en las que estaba indicado el grupo sanguíneo. Mi amigo separó varias botellas hasta dar con la que decía:

–Grupo O, rhesus negativo.

Se puso unos guantes de goma y tomando toda clase de medidas profilácticas se hizo una transfusión de sangre en el brazo. Una vez terminada, se limpió meticulosamente con alcohol y dejó todo como estaba al principio.

Cerró la puerta de la nevera y al verme no pareció nada sorprendido.

–Oh, discúlpame. No sabía que estabas enfermo. ¿Quieres que te ayude?

–No es nada –me replicó.

Me explicó que tenía que hacerse todas las noches una transfusión de sangre. Que su organismo lo exigía. Mientras me hablaba noté más que nunca el anormal tamaño de sus colmillos. Luego añadió:

–Comprenderás que no voy a caer en el romanticismo grandilocuente de mi abuelo.

–¿De tu abuelo?

–Sí, del Conde.

–¿Cómo del Conde? –pregunté.

–Del Conde Drácula; ya sabes que soy su nieto, ¿no?

CAPÍTULO QUINTO

LA GLORIETA

Al salir del laberinto me encontré con la radiante luz de la glorieta y con la imagen de la giganta acostada sobre el pedestal.

Los peregrinos, entre lágrimas y risas, depositaban ante el pedestal múltiples ofrendas. Muchos le ofrecían su ropa, sus zapatos. En poco tiempo se formó, en torno al monumento, una turbamulta medio en cueros: los hombres con calzoncillos largos pasados de moda, las mujeres con enaguas de paño, los niños completamente desnuditos, o con fajas en torno al vientre.

Uno de los niños se acercó y dijo:

–Perogrullo. Soneto.

Parecía muy serio y quizá repipi. La gente quedó petrificada por la impresión. Se hizo un silencio sepulcral y se oyó la voz argentina del niño:

> Pero sí, pero no, pero vivía
> quien le quita el dinero le robaba
> si se sube en el peso se pesaba
> a las doce las llama mediodía

le miraba a su madre y la veía
el jabón lo emplea si se lava
los billetes de banco los ganaba
pues el agua mojaba todo el día

si le piden de noche le suplican
a su letra le llama su escritura
y se rasca y se rasca si le pican

de demente perdía la cordura
si trabaja don «Pero» se atarea
es Amén su final pues así-sea.

Esperaba grandes ovaciones, por el contrario la gente lloró y hubo quien se dio golpes con piedras en el pecho. Cuando el niño terminó de recitar torpemente su soneto se encaramó en el pedestal y besó el pie de mármol de la giganta.

La giganta diríase que me miraba con cierta ironía. Incluso creí ver que volvía ligerísimamente la cabeza hacia mí. Claramente leí en sus ojos dos palabras: amor y azar. Pero rápidamente se borraron.

El niño, tras haber besado el pie de la giganta, salió corriendo hacia el fondo de la glorieta. Desapareció. Todo el mundo echó a correr en pos de él. Yo también.

Al final de la plaza había un precipicio que daba sobre un valle angosto de rocas agrietadas. Abajo yacía el cadáver del niño con un gesto de sonrisa.

Pronto se formó una cola para besar el pie de la giganta. E iniciaron un ballet que consistía en besar el pie de la giganta, salir corriendo, y tirarse por el precipicio.

Horas después racimos de cadáveres yacían desparramados sobre las empinadas rocas. Todos los peregrinos se habían estrellado y allí estaban, en el fondo del precipicio, con gesto plácido y en paños menores, y junto a ellos los soldados con la mano en el pecho, y los astrónomos fumando pipas apagadas, y las parejas abrazadas, y las niñas, y las cabras que se habían precipitado de un salto airoso sin perder el huevo sobre el hocico, y la orquesta, y el monarca.

Instintivamente me alejé de la sima. Volví al monumento y encontré una escalerita que se abismaba en tierra como una boca de metro. Ostentaba un letrero que decía LABERINTOS - LABERINTO VIGÉSIMO OCTAVO. Y allí vi:

LABERINTO VIGÉSIMO OCTAVO

El hijo de Cronos

El orador instalado en el entarimado leía su conferencia. El público, numeroso, compuesto en mayoría de jóvenes turbulentos reía e interrumpía al orador con ocurrencias castizas. El charlista era pequeño, con pelo cubierto de caspa; tenía el gesto adusto, pero no hacía ademán alguno. Hablaba mezclando las notas y sin hacer caso del público.

En mi mente surgió, mientras le oía, la imagen del grabado que preside la cocina. Acostumbrado a verle, nunca le había examinado atentamente. Recordaba que era un grabado antiguo que a primera vista parecía representar una escena mitológica.

Al cabo de veinte minutos comenzó a armarse un auténtico tumulto con gritos, siseos, risas... Los más atrevidos arrojaban bolas de papel sobre el conferenciante. Hubo quien le imitó en mitad de un pasillo.

El grabado de la cocina recordé que representaba un pastor junto a una mujer. El pastor lucía una cayada alta y la mujer aparecía desnuda. A la izquierda, nueve niñas hieráticas.

El orador continuaba, no obstante, impasible, su lectura. Cuando se detuvo un instante respiré tranquilo pensando que se acababa su suplicio. Un grupo de graciosos se puso a aplaudir desenfrenadamente creyendo con ello dar por cancelada el resto de la conferencia. Se armó un guirigay de todos los diablos. El orador buscó algo en la mesa; encontró un vaso de agua, se bebió la mitad del contenido con naturalidad y prosiguió su charla tan campante, sin afectarle para nada la hostilidad de la sala.

El grabado, me pareció recordar, tenía algunos detalles que no reconocía en absoluto. En el bosque del fondo puede ser que asomaran los cuernos de un fauno.

Era casi imposible oírle, pero en cuanto podía le escuchaba con interés. En un momento dado lanzó una idea que me llamó la atención.

–La obra del artista –dijo– es un fruto de la unión del tiempo y de la memoria. La memoria representada por la biografía del artista y la historia de la humanidad y el tiempo por el futuro, es decir, por el azar.

El discurso aún duró media hora más. En los últimos minutos de su charla el orador consultaba constantemente su reloj. Terminó la conferencia entre la bronca de la mayoría y los aplausos comedidos de un escaso sector del público, gente educada y de edad. El orador, sin más ceremonia, cogió las cuartillas y tranquilamente desapareció.

Al día siguiente, al verle, le comuniqué que cierta parte de su conferencia me había interesado. Pareció asombrado. Le indiqué que especialmente su teoría sobre la obra del artista, a mi juicio, era capaz de iluminar el enigma del arte.

–¿Cómo? ¿He hablado de arte?

–Se lo aseguro, lea sus notas.

Rió de buena gana. Yo también había creído en sus notas. No había tales notas; aquellos apuntes no eran sino un grupo de papelotes manuscritos que arrastraba por todas las mesas de conferencia y que hacía como que los leía.

–Hace más serio –dijo.

–Entonces su teoría...

–Sabe usted, hablo de cualquier cosa, automáticamente, pendiente tan sólo de cubrir la hora por la que me han contratado, para pasar por caja sin escrúpulo.

Al volver a casa miré el grabado de la cocina. Bajo el pastor estaba escrito «Zeus hijo de Cronos»; bajo la Venus desnuda, «Memoria», y bajo las nueve hijas de ambos, «Las nueve musas».

LABERINTO VIGÉSIMO NONO

La sangre

Al amanecer, las paredes de mi habitación, de mi casa, de mi ciudad, se seguían las unas a las otras formando una espiral grandiosa. Cuánto me costó al principio percatarme de que aquella perfecta espiral que caminaba hacia un centro eran mis habitaciones, las paredes, los pasillos, las calles, las plazas, colocadas de una manera diferente a lo que estaba acostumbrado.

De tanto ir y venir por la espiral, comencé a saber distinguir una puerta de un jardín, la muralla de una tapia, y sonreía pensando en lo que opinaría un forastero que cayera de pronto en nuestra ciudad y se imaginara que todo no era nada más que una pared sin fin. Pronto comprendí la perfección de semejante construcción, y cuando me acordaba de la antigua ciudad, me parecía sin sentido, sin orden ni concierto.

Se me escapó un día una bola de cristal, y así observé que la ciudad estaba hecha en declive: la bola resbaló y se perdió para siempre. Y surgieron los primeros enigmas: ¿hacia dónde va la bola? ¿Hacia dónde camino cuando pretendo alejarme? ¿Hacia el centro de la espiral o hacia el borde, al infinito?

Fuera como fuere me encontraba en presencia de un mundo perfectamente armónico que probaba su inhumanidad, ¿quién había sido el gran relojero de semejante perfección? ¿Cómo se podría vivir en otro mundo diferente?

Me pasaba horas enteras ensimismado contemplando el orden, la perfección de la línea, la sencillez matemática, y admiraba sobremanera al supremo arquitecto que había ideado tan maravilloso mundo en que cada cosa estaba en su sitio y había un sitio para cada cosa.

Fue un viernes cuando reparé que en medio de la pared a una altura de metro y medio poco más o menos había un chorrito de agua que caía. Se diría que rezumaba de la pared. Tomé una gota en mi dedo; era perfectamente transparente. La llevé a mis labios; el sabor era inconfundible, se trataba de una lágrima. ¡Brotaban lágrimas de la pared!

Pero no sólo lloraba la pared de mi habitación, sino que también lloraban los muros de las calles, la ciudad entera. Por la noche oía lamentaciones, chirridos, y a mí también me entraron ganas de llorar, pero no podía: ni una lágrima salía de mis ojos.

Días después observé que la perfecta espiral en que creía vivir no era tal: había innumerables zigzagues, recodos, rincones, recovecos sucísimos que olían mal. Y hasta llegué al convencimiento de que la perfecta espiral que había vislumbrado los primeros días no era otra cosa que una serie de meandros en los que la gente echaba sus excrementos.

Al volver a casa vi que de las paredes había comenzado a brotar sangre. De todos los resquicios manaba sangre en abundancia. Las grietas rezumaban hilos de sangre. La ciudad se desangraba.

Noté que me iba a desmayar. Sin fuerzas caí en el suelo. Antes de perder el conocimiento sentí cómo me auscultaban el corazón. Alguien dijo:

–De prisa, que le lleven en seguida a un hospital, hay que hacerle una transfusión; casi no le queda ni una gota de sangre.

LABERINTO TRIGÉSIMO

La jaula-esfera

El ojo derecho se me fue cegando. La sentía ir y venir pero no me atrevía a hacer nada. Los hilos sutilísimos me iban cubriendo el ojo. Apenas salía de casa y pronto me acostumbré a mirar con el ojo izquierdo.

Ella no me decía nada; tenía miedo de que se diera cuenta. Para disimular andaba en su presencia con una mano sobre el ojo derecho. Los hilos se multiplicaban, la molestia invadía otras regiones cercanas. Ella, sentada frente a mí, leía un libro y de vez en cuando cantaba una nana como para ella sola:

> Pajarito que cantas
> en la laguna
> no despiertes al niño
> que está en la cuna.

Por la calle iba con gafas negras y no me atrevía ni a mirarme en un espejo, ni a lavarme, ni a exponerme a una corriente de aire que hubiera podido arrancar los hilos y quién sabe qué con ellos.

Pronto una verdadera tela me cubrió media cara. La notaba perfectamente. Ella, sin embargo, nunca aludía a mi ojo. En cuanto quedaba un rato absorta se ponía a cantar una canción de cuna muy suavemente:

> Estrellitas del cielo
> rayos de luna
> alumbrad a mi niño
> que está en la cuna.

Yo quería conservar la serenidad. Resolví no volver a salir; para ello me encerré en la torre. Ella me visitaba todas las tardes y permanecía conmigo hasta el ocaso. Todos los días me traía dos regalos: un rompecabezas y un animal insectívoro amaestrado. Un día me trajo también una jaula-esfera de más de un metro de diámetro.

El mal cundía, avanzaba por todo el cuerpo, como un cáncer. Una enorme telaraña me tapaba de pies a cabeza. Apenas si me atrevía a moverme. Sentía a la araña paseándose por mi cuerpo y temía que atacara el interior.

En estas condiciones no podía recibirla, pensé. En vista de ello me encerré con llave en la torre tras haber matado a todos los animales insectívoros que ella me había traído y cuya presencia agresiva podría enojar a la araña. Temía que su venganza fuera aún peor de lo que soportaba.

La tarde en que me encerré, ella llamó insistentemente. Le dije que ya no podría abrirla; ella afirmó que volvería al día siguiente con una llave maestra.

Ante semejante amenaza decidí terminar. Coloqué la esfera-jaula sobre el alféizar de la ventana, me encerré con llave dentro de ella, arrojé muy lejos las llaves y me hice precipitar por el despeñadero al pie de la ventana.

Perdí el conocimiento. Cuando recobré el sentido la esfera volaba por los aires y ella estaba a mi vera con un topo ensangrentado sobre su regazo.

Volamos juntos largo rato y a mi oído llegó una canción de cuna:

> La cuna de mi niño
> se mece sola,
> como en el campo verde
> las amapolas.

Y seguimos volando y volando y pronto nos abrazamos, y me pareció que mi cuerpo se introducía en el suyo y que toda mi piel rezumaba.

Cuando tocamos tierra, miré mi cuerpo desnudo, mientras ella abría la puerta de la jaula-esfera, y vi que la telaraña había desaparecido.

LABERINTO TRIGÉSIMO PRIMERO

LA OSCURIDAD

Todo estaba completamente oscuro; sólo oía un sonido acompasado. Transcurrió mucho tiempo. Cuando me decidí a buscar la luz tropecé con un animal que supuse sería mayor que un perro, pero que no pude identificar con precisión.

Durante todo el día caminé a tientas de un lado para otro, quizá pasando varias veces por el mismo lugar. Sentía junto a mí, constantemente, este animal que despedía un olor particularmente hediondo.

Creo que anocheció; el caso es que me caía de sueño. Me acosté sobre el suelo y noté que el animal hacía lo mismo. Era casi insoportable su presencia. Al despertarme sentí la cabeza del animal sobre mi vientre.

Contrariamente a lo que había supuesto al despertarme, aún no me había acostumbrado a la oscuridad: seguía sin ver nada. Anduve en línea recta, quizá recorriendo grandes distancias, quizá girando en torno al mismo sitio. Por más esfuerzos que hacía por echarle, me era imposible deshacerme del animal hediondo. No me atrevía a tocarlo: olía a demonios y de vez en cuando emitía un sonido como una risa humana que era de lo más repugnante.

Las paredes a veces ofrecían agujeros en los que metía las manos y a veces el brazo. Era nauseabundo; aunque no lograba identificarlo con precisión no cabía duda de que en el fondo de estos recovecos había excrementos medio líquidos.

El animal seguía pegado a mis talones. Cuando sentí que estaba a tiro le sacudí una patada; su quejido casi humano fue atroz. Me entraron ganas de vomitar.

Conforme pasaba el tiempo, vislumbraba la geografía del lugar en que me hallaba. Barruntaba que era una serie de pasillos enmarañados quizá de kilómetros de longitud. Sin embargo, ¿cómo es que por todas partes oía el mismo sonido acompasado que provenía de lo alto?

La segunda noche la pasé junto al animal que se pegó de nuevo a mí. Comprendí que no era un perro: era una hiena, por ello olía con tal fetidez.

Me dormí. Al despertarme oí el repulsivo ronquido de la hiena; allí estaba, junto a mí, esperando que muriera agotado para regalarse con mi cadáver. Tuve la impresión de que la muerte me acompañaba con sus velos blancos y su horca.

Concerté deshacerme de ella: encontraría una piedra y con ella golpearía la cabeza de la hiena hasta matarla. Recorrí las galerías rastreando el suelo y las paredes pero sólo encontraba cosas repugnantes.

Por fin, incrustada en la pared, palpé una piedra del tamaño de una naranja. Era una piedra redonda que tenía una punta metálica en el centro. ¡La suerte me ayudaba! La hiena, junto a mí, reía casi humanamente.

Tiré cuanto pude para sacar la piedra, hinqué las uñas, giré con todas mis fuerzas, pero sin éxito. La piedra parecía empotrada entre tenazas. Ante una de mis sacudidas la punta del centro se inclinó hacia abajo. Llegó la luz.

Allí estaba ella, más bella que de costumbre. Reía:

–¿Por fin has encontrado el interruptor de la luz? Llevo una hora observándote en la oscuridad.

Reía maravillosamente. Era su casa: las seis habitaciones unidas por el pasillo central. La reconocí inmediatamente, así como el reloj con su monótono tictac y los tarros de miel que ella encajaba en la pared. Y noté en seguida que se había puesto el perfume que me gustaba.

LABERINTO TRIGÉSIMO SEGUNDO

EL HOSPITAL DE LOS INCURABLES

En el Hospital de los Incurables hay jaulas que encierran tiestos y las hojas se enroscan a los barrotes. Ella se pasea a caballo por los pasillos. A veces se abre una puerta y sólo se entrevé una porción de cara de hombre: un ojo y una ceja.

Ella se pasea a caballo por los pasillos, tiene un traje de seda blanco que le cubre todo el cuerpo. En el Hospital de los Incurables hay una niña que se distrae aplastando la nariz de un niño, y un viejo medio embrutecido por las drogas que se pasa el día cantando el romance de Juan Simón:

La enterraron por la tarde
a la hija de Juan Simón;
y era Simón en el pueblo
el único enterrador.

Él mismo a su propia hija
al cementerio llevó,
él mismo cavó la fosa,
pronunciando una oración.

El Hospital de los Incurables es un edificio antiguo junto al río dividido en naves. Algunas de las habitaciones son pequeñas selvas en las que a menudo los enfermos se hallan completamente desnudos entre pájaros tropicales de plumas abigarradas.

Con su caballo ella correteaba y sólo se detuvo al llegar a la puerta del hombre del que sólo conocía un ojo y una ceja.

El Hospital de los Incurables es el cuadro que preside mi biblioteca, es un cuadro de un tamaño reducido y pintado con técnica de miniaturista. Los personajes me son conocidos. A veces tropiezo con ellos por la calle. Tiene la particularidad, el lienzo, de transformarse, de «vivir».

En la playa, tumbado a la bartola, con las piernas espatarradas, vi un día al enfermo del que tan sólo conocía un ojo y una ceja. Lo que me había parecido serenidad en el cuadro, no era nada más que un arte de vivir basado en la poltronería. Estaba rodeado de libros manoseados que no parecían preocuparle demasiado.

Me dirigí a él. Bostezó antes de responderme. Por lo visto no le interesaba otra cosa que descansar. No obstante, al describirle el lienzo y el papel que él tenía, rió de buena gana. Me preguntó:

–¿Y qué hizo anoche?

–¿De quién habla?

–De la mujer del caballo.

–Cada día se para en una habitación diferente.

–¿Pero qué hizo anoche? –insistió.

–Precisamente se paró delante de su puerta.

Al oír estas palabras, salió disparado abandonándolo todo.

Cuando volví a casa comprendí la conducta del individuo: la mujer a caballo seguía a su puerta, con sus velos y una especie de bulto en el brazo. El enfermo drogado cantó:

> Y allá, al caer la tarde,
> del cementerio salió;
> en una mano la pala
> y en el hombro el azadón.
> Y la gente le decía:
> –¿De dónde vienes, Simón?
> –Soy enterrador y vengo
> de enterrar mi corazón.

Pensé que la jinete a caballo era la muerte, el bulto escondería una horca. Él lo había comprendido antes que yo.

Sin embargo, al día siguiente me encontré al hombre en un coche último modelo conducido por un chauffeur. Lucía una grosera sortija. Me gritó:

–Gracias, muchas gracias por lo de ayer (me guiñó el ojo). ¡Menos mal que me dio tiempo para comprar un billete de lotería!

Rió a carcajadas y luego añadió:

–Y a ver si otra vez se para en mi puerta la fortuna con la cornucopia al brazo.

LABERINTO TRIGÉSIMO TERCERO

LA LEYENDA

Vivían los dos cerca de mi casa, el alquimista y el poeta. El alquimista en el primer piso del viejo caserón, y el poeta en la planta baja. Las relaciones entre ambos eran distantes pero corteses.

Al poeta se le veía trabajando hasta las tantas de la noche y madrugar para cuidar su huerto. Al alquimista era frecuente encontrarle en la playa borracho.

La mujer del poeta era una cojita con un cerebro de niña. El poeta la paseaba por las mañanas por el parque con un viejo cochecito de niño y para divertirla hacía carantoñas y hasta le tocaba el tambor. La mujer del alquimista era una joven rubia muy bonita que se llamaba María.

El alquimista pregonaba que estaba a punto de descubrir la piedra filosofal. Nadie le creía –ni su esposa–; no obstante lograba vivir exclusivamente de lo que pedía prestado. El poeta era incapaz de pedir nada a nadie, cultivaba su huerto y criaba gallinas. Se decía que de madrugada iba al monte con unas tijeras a cortar hierbas para hacer ensaladas.

Un día en que como de costumbre el alquimista estaba casi atontado por la bebida se puso a trabajar en su taller. Pretendía que el alcohol le permitía llegar a la lucidez genial. Tras múltiples mezclas el alquimista recogió en el almirez una piedrecita. La tomó con sus pinzas y saltó de emoción. Las pinzas de acero, al contacto con la piedrezuela, se habían vuelto de oro.

Comenzó a gritar:

–¡María, María! ¡He descubierto la piedra filosofal!

Entre la borrachera que tenía y la emoción, todo se volvían saltos de alegría, piruetas. Entró en la cocina pero no encontró a su mujer, se dirigió hacia el dormitorio y en este momento tropezó sobre un peldaño y cayó al suelo. Las pinzas se le escaparon y con ellas la piedrecita.

La piedra rodó hasta la huerta del poeta, sin que el alquimista se diera cuenta. Durante horas el alquimista y su mujer la buscaron por toda la casa, sin éxito.

La piedra filosofal había caído junto a una de las gallinas del poeta, que sin pensarlo más se la tragó.

Horas después, al despuntar el alba, el poeta fue a buscar su provisión de huevos, y se halló ante un espectáculo increíble: una de sus gallinas había puesto un huevo de oro.

Observó a la gallina durante una semana: todos los días la gallina puso un huevo de oro. Muy contento el poeta dijo a su mujer:

–Seremos ricos, Julieta, he encontrado la manera.

Y la cojita rió, y no porque comprendiera lo que le decía su marido, sino porque siempre que le veía sonreír ella hacía lo mismo.

Y en efecto, el poeta se hizo millonario gracias al libro que escribió *La leyenda de las gallinas de los huevos de oro*, del que se hicieron traducciones en libro de bolsillo en el mundo entero, mientras que su vecino genial moría maldito y olvidado.

LABERINTO TRIGÉSIMO CUARTO

CANDELADA

Por la pared, frente a mi cama, centenares de ojos se deslizaban mirándome. Los ojos bajaban desde el techo hasta el suelo. Los había de todas clases: gruesos, diminutos, bellos y feos, azules y negros... Les veía desparramarse hasta el suelo y por fin desaparecer.

En el patio la hoguera seguía encendida y desde la cama oía el crepitar de las llamas y los gritos de los mozos que seguramente se divertían saltando las llamas.

Era feliz viendo tanto ojo sobre la pared que imaginaba serían de todas las personas que he visto. Quizá también los ojos de todos mis antepasados y los de toda la humanidad.

Del patio llegaban las risotadas de los mozos y los resplandores de las llamas que iluminaban mi habitación.

A veces sólo un ojo resbalaba por la pared, lentamente y me miraba y nos mirábamos y me sentía satisfecho y hasta orgulloso.

De rondón un pajarraco entró en la habitación y se puso a revolotear en torno a mi cama. Era un pájaro grande, pero que no conocía, tenía un aire de águila, o de buitre o de cóndor. Parecía muy afectuoso.

Se posó en el baldaquín de la cama y contempló conmigo el espectáculo de la pared. Hice mis posibles por quedar inmóvil para no espantarle.

Durante mucho tiempo –quizá horas– estuvimos juntos brindándonos una secreta convivencia no declarada, llena de encanto.

Los dos mirábamos los ojos y me figuraba que el pájaro era, como yo, sensible a ciertas miradas. Una de ellas hizo emitir un gorjeo de dolor al pájaro.

Sin más, en un momento se voló. Me asomé a la ventana casi con ganas de despedirme de él. Describió tres círculos concéntricos en torno a la fogata y por fin, en picado, entró en las llamas. Los jóvenes gritaron excitados.

Olí y oí el chamuscar de sus alas, de su cuerpo. Y noté un brusco dolor de cabeza de una gran intensidad, mientras el pájaro se consumía tuve una impresión cerebral dolorosísima.

Con una pala, uno de los mozos retiró las cenizas del pájaro; las colocó sobre una piedra. Sentía una sensación de alivio, cerebral.

Noté que las cenizas se movían. Por fin se agitaron: surgió el pico, la cabeza, la punta de las alas; al poco tiempo el pájaro había renacido de sus cenizas. Parecía más enhiesto y hermoso que nunca.

Me senté en la silla y comprendí el mecanismo de mi memoria, de mi ave Fénix.

LABERINTO TRIGÉSIMO QUINTO

Los siete tréboles

La niña atada contra el árbol tenía el pelo revuelto; una cuerda le apretaba las muñecas. Su faldita negra se levantaba cuando intentaba liberarse. Sus manos estaban trabadas –a su espalda– al grueso árbol.

Avancé hacia ella, lentamente, por el bosque. La niña estaba sola y conforme iba aproximándome distinguía mejor su bonita cara sonrosada por el esfuerzo y sus cabellos rubios ondulados y largos.

En un calvero, a cierta distancia aún, me detuve. Imaginé que algún niño la había dejado allí. Su cara era de dolor pero no de desesperación. Sería la prisionera de un grupo rival.

Sentado sobre un tronco procuraba escuchar cualquier ruido que me informara, pero sólo oía el murmullo del bosque. La niña tenía los pies descalzos; sus zapatos estaban colgados de un tronco. En uno de sus tobillos llevaba una cadena de plata de la que pendían siete tréboles.

Tres niños llegaron corriendo. Me escondí tras la maleza para que no reparasen en mí.

Uno de ellos dijo a la niña:

–Y ahora te vamos a torturar.

La carita de la niña, con su cutis suavísimo, parecía más roja que nunca; sus ojos estaban humedecidos por la emoción. Sus cabellos aún más revueltos. De vez en cuando se volvía con los ojos muy abiertos hacia sus «amigos».

Los niños cortaron unas hierbas que no llegué a distinguir.

–Te vamos a pegar con ortigas.

La niña casi lloró; suplicó a los niños que no utilizaran las ortigas, que prefería cualquier cosa: «todo menos las ortigas», repetía.

Uno de los niños cogió uno de los pies desnudos de la niña y le rozó con las yerbas. La niña lloró y hasta gritó.

–Si gritas te untamos en la cara.

La niña siguió gimiendo hasta que me desmayé.

Cuando me desperté era de noche. Miré el árbol; no quedaba ningún rastro de la escena que había presenciado. El árbol parecía más grueso, más alto, más tupido.

Se acercó a mí una vieja mujer con uñas muy largas y con algunos pelos largos sobre la barbilla. Tenía unas gafas de plata redondas y el rostro arrugadísimo. Sus ojos, a pesar de estar medio hundidos en las cuencas, miraban con serenidad.

Llevaba un ramito de ortigas en la mano, que me alargó. Luego me entregó una cuerda. Me pidió que le atara las manos a la espalda. No sé por qué, accedí a sus deseos.

Me pidió que le quitara los zapatos y que los colgara de un tronco, y así lo hice.

Respiraba acompasadamente y en su cara blanquísima y arrugadísima me parecía notar una intensidad serena. Sin saber por qué, adiviné cuál iba a ser su próxima petición:

–Colóquese de rodillas a mis pies y fróteme con las ortigas.

De rodillas, la miré un instante. Sus labios cerrados formaban un embudo de arrugas. Respiró con alguna dificultad, quizá con cierta emoción. En uno de sus tobillos llevaba una cadena de plata de la que pendían siete tréboles.

Gimió muy levemente y también lloró.

–Le hago sufrir demasiado, ¿quiere que cese?

–No lloro por el dolor –dijo–. Lloro porque hace sesenta años, en este mismo árbol, unos amiguitos...

LABERINTO TRIGÉSIMO SEXTO

ORO POTABLE

Los dados rodaban sobre la mesa de juego con su consabido tapete verde. Sin embargo, los dados eran especiales: desde donde estaba no lograba ver las figuras que adornaban cada cara.

Los jugadores colocados en torno a la mesa rectangular se agitaban, prisioneros de una gran tensión. Aunque todos no fumaban había una atmósfera de humo sobre la mesa.

Al llegar al casino había visto en el parque un árbol del que colgaban cabezas casi a modo de frutas. Cabezas plácidas, serenas. En la oscuridad tenían destellos dorados.

El croupier decía palabras que me parecían incomprensibles:

–Sueño.

–Segunda vida.

–Libro de Hermes.

–La triple cadena.

Etcétera.

Por lo menos tan incomprensibles resultaban para mí las líneas entrecruzadas y los puntos que adornaban el tapete. Los jugadores depositaban las fichas sobre él.

Correctamente un empleado me invitó a jugar. Confiando en la confusión deposité las fichas sin plan y, claro está, las fui perdiendo una a una.

Poco tiempo después distinguí una de las caras del lado: un escarabajo de oro. Me hubiera gustado jugarlo.

El croupier seguía cantando palabras incomprensibles que producían sabias reacciones en los jugadores:

–Ezequiel.

–El ahorcado.

–Los siete ángeles.

Etcétera.

Me acerqué un instante a la ventana: vi el árbol en mitad del parque con sus cabezas doradas. Desde donde estaba me figuraba que eran cabezas vivas.

Volví a mi sitio y seguí jugando. Uno de los jugadores se aproximó a mí y sin ninguna fórmula de presentación, comenzó a hablarme. Era difícil entenderle a pesar de que tenía un tono muy alto al hablar, en ocasiones gritaba. Pero me contaba cosas tan abstractas con un acento tan extraño que era casi imposible seguirle. Le miré con detenimiento, llevaba un frac perfecto con una corbata impecable; sin embargo, el cuello de su chaqueta estaba cubierto de caspa. Sus orejas estaban llenas de manchas amarillas.

No obstante, comprendí que me sugería jugar el escarabajo de oro. Le confesé que no sabía cómo podía hacerlo. Me explicó el sistema que en realidad era bastante sencillo.

Comencé a jugar el escarabajo de oro y pronto el croupier me entregó toda clase de objetos. Ganaba, y desde el otro extremo de la mesa, mi «amigo» me hizo un guiño y los dos sonreímos.

Entonces fue cuando me percaté de un detalle que me había pasado inadvertido: las manos de mi interlocutor eran de oro, al fondo de la mesa relucían de una forma particular.

El croupier seguía cantando las combinaciones que ganaban:

–Licántropo.

–Elíxir de Cagliostro.

–Corona y cetro.

Etcétera.

De nuevo me acerqué a la ventana. El árbol con las cabezas doradas se destacaba en mitad del parque. Pero también observé que había varios pares de manos doradas.

Volví a mi sitio y busqué con la mirada a mi amigo. Experimenté un momento de inquietud: no estaba. Pronto, sin embargo, oí su voz característica, sus risas fuertes. Un grupo le rodeaba. Ganaba mucho: un gran montón de objetos formaban dos pirámides frente a él. Y el croupier no cesaba de enviarle con la pala nuevos premios. Las mujeres le felicitaban. Me miró y me volvió a guiñar el ojo. Y de nuevo los dos sonreímos.

Durante cerca de una hora sólo él y yo ganábamos, gracias a la combinación del escarabajo de oro.

El croupier cantaba:

–Minerva.

–Triángulo de Salomón.

–Ceremonia.

–Oro potable.

Un grupo de mirones me rodeaba y me felicitaba, las mujeres se mostraban entusiastas conmigo.

Entonces fue cuando miré sus manos: ya no eran de oro, dos garfios de hierro las sustituían.

De pronto sentí una rigidez grande en la cara. Paralizado por no sé qué temores no me atreví a mirarme en el espejo que estaba enfrente. Un escarabajo de oro avanzaba lentamente hacia mí.

CAPÍTULO SEXTO

LA GLORIETA

Al salir del laberinto me encontré en mitad de la plaza, completamente desierta. Ella y yo solos. Ella en su descomunal monumento, y yo diminuto en medio de la redonda y grandiosa glorieta de piedra blanca.

Al andar notaba mi sombra en el suelo. Oí o creí oír su voz. ¿Sería posible que me llamara?

Levanté la cabeza y quedé atónito y embelesado. La giganta se había sentado sobre el pedestal y me miraba; estaba vestida de reina y sonreía.

Me acerqué al pedestal, subí los peldaños y pronto me encontré con sus pies; yo no era mayor que uno de sus dedos.

La contemplé: reía y me llamaba. Comencé a trepar por ella. A duras penas alcancé la rodilla derecha. Mientras subía ella seguía riendo y llamándome. Me encaramé por la pierna y llegué hasta su cintura, atravesé su pecho, seguí por su cuello, crucé su boca y gané su ojo izquierdo.

En la gigantesca retina de su ojo me miré: reflejaba mi imagen con precisión; allí estaba yo con una corona, con un manto real y un cetro de oro. Tenía un aire real.

A mis pies, en el ojo de la giganta, se abría una puerta y unas escaleras que me condujeron al interior de su cuerpo.

No sé cuánto tiempo viví allí, encerrado en el cuerpo de la giganta.

EL VIAJE

Ya sé cuánto tiempo pasé en el cuerpo de la giganta: nueve meses justos.

A los nueve meses salí del cerebro de la giganta con una corona sobre la cabeza.

Pero ya no había giganta y yo ya no era como cuando entré, y empecé a vivir de nuevo, y apenas si era consciente pero entreveía a mi padre ciego que tañía el arpa, y el carrito con la cabra y la pantera con el que daba tres vueltas en torno a la habitación, y oía la canción de los niños y las frases que se repetían, y todo iba muy de prisa, y tenía la impresión de avanzar en el tiempo rápidamente, y observaba mi vivir como si fuera el vivir de un extraño, y sabía todo lo que iba a suceder, y en efecto pronto llegué a la niñez, y a la pubertad y a la juventud, y viví todos y cada uno de los momentos de mi vida a gran velocidad, y de nuevo viví mi amor, y viví mi anatomía en el cuadro, y viví mi llegada al arte bajo la presidencia de la memoria, y me dirigí a la glorieta, y vi a la giganta metamorfoseándose según el punto en que la miraba, y entré en los laberintos, y los fui recorriendo uno a uno los treinta y seis, y los laberintos y la giganta se entremezclaban como por el pasado, y seguía avanzando en el tiempo, y entré en el ojo de la giganta, y salí por su cerebro a los nueve meses y cuando creí que iba a dejar de viajar, mi cuerpo se lanzó hacia el futuro, y comencé a recorrer los años futuros de un modo vertiginoso, y aquí estoy cayendo en el porvenir, resbalando como un relámpago a través de los siglos futuros, y vivo los siglos en horas y los años en minutos; y soy feliz viendo y descubriendo la eternidad, y mi memoria se enriquece, y veo el pájaro que cada cien años toma una gota del mar, y veo los océanos, por ello, desecarse, y veo las piedras de las montañas y todas las arenas de las playas y comprendo la vida, y soy gato y ave Fénix y cisne, y elefante y niño y viejo, y estoy solo y acompañado, y me quieren y quiero, y paso jornadas enteras meditando, y recorro regiones y paraísos, y estoy aquí y allí, y poseo el sello de los sellos; y a medida que caigo en el futuro, siento que el éxtasis me invade para no dejarme nunca.

ÍNDICE

CAPÍTULO PRIMERO

CAPÍTULO SEGUNDO

CAPÍTULO TERCERO

CAPÍTULO CUARTO

CAPÍTULO QUINTO

CAPÍTULO SEXTO